JN127045

「超」勉強力

中野信子
山口真由

プレジデント社

STUDY

山口真由
中野信子

NOBUKO NAKANO
×
MAYU YAMAGUCHI

はじめに

「どんな勉強をして東大に入ったのですか？」

「子どものころから勉強がよくできたのですか？」

わたしはこれまでの人生において、幾度となくこのようなことを質問されてきました。また、脳科学を修めたということもあってか、こんなこともよく聞かれます。


「どうすれば頭がよくなるのですか？」


はっきりいうと、いわゆる「頭のよさ」（知能）には、遺伝による先天的な影響があります。細かい点はまだ研究途上にあるとはいえ、双子の研究から遺伝率は50％であると考えられています。

ただし、「頭のよさ」は後天的に伸ばすことも十分可能です。本書では、のちに「長期記憶」、なかでも「エピソード記憶」のメカニズムも紹介しますが、何度も繰り返し考えたり、自分のなかで印象づけられたりした記憶はかなり忘れにくくなります。

　また、時間を区切ってものごとに取り組む練習を重ねると、「集中力」を鍛えることもできるでしょう。記憶力がよかったり集中力が高かったりするのは、「頭がいい」ともいえ、このような広義の「頭のよさ」に貢献する、脳科学的に理にかなった方法はいくつかあるのです。


　しかし、これを個別の「勉強法」にまで落とし込むとなると、途端に話がまとまりのないものになってしまいます。世の中には数多くの勉強法や記憶法、速読術などの類（たぐい）が氾濫しており、それぞれが根拠を示し合っています。それだけの情報があるということは、言い換えればうまくできない人が多いことを示しているのでしょう。

　でもわたしは、そもそも勉強法は個人の性格や資質によるところが大きいものだととらえています。どれだけ賢いと敬われる人がベストなやり方を主張しても、それは当人に最適化された方法に過ぎません。もちろん、一定の成果をあげている人の実践例は参考になります。ですから、あくまで「自分に合った方法」をベースにしたうえで、様々なアプローチを取り入れていけばいいのだと思います。

本編でも触れますが、わたしはこれまで勉強法というものにこだわったことがほとんどありません。自分がやってきたことを振り返り、「いわれてみればあれが勉強法だったのかもしれないな」と気づくことはあるのですが、まったく自然に行っていたことで、ただの〝自分に合った方法〟でした。

その意味では、あくまでも結果論としての勉強法を語ることだけがわたしにできることです。そんなときに、友人である山口真由さんとの共著で勉強をテーマにした本の依頼があり、「それなら面白いかも」と感じました。ご存知の通り、山口さんは東京大学を首席で卒業し、財務官僚や弁護士として働いたのちにハーバード大学の大学院へ留学

しています。そして、わたしは彼女ほど自分の勉強法を確立し、それに徹底的に打ち込むことで数々の壁を乗り越えてきた人を知りません。

つまり、わたしと山口さんには、自分の興味を軸に勉強に取り組むという共通点はあるものの、勉強法についての考え方は驚くほどに対照的なのです。


本書では、まず【思索編】で、わたしたちが自分の体験をもとに勉強について考えていることを書きました。個人的な人生の軌跡をたどるかたちですが、そのなかにみなさんの「勉強力」を高めるヒントになることをできる限り盛り込みました。

次に、【実践編】として、わたしたちが実際に日々行っている具体的な勉強法をご紹介します。とくに山口さんは自分の勉強法を確立しているので、ふたりのパートを読み比べることで、共通項をさぐったり検証したりすることができるでしょう。

さらに本書には、勉強をテーマにした、ふたりによる対話も含まれています。冒頭で「頭のよさ」に触れましたが、わたしは旧来の試験の点数や偏差値、学歴などを重視する勉強は、早晩意味が薄れていくと見ています。それよりも、もっと自分の知的空間を広げていくような、楽しみに満ちた「よろこびとしての学び」が現実的な意味においても必要で、また意義を高めていく流れが必ずきます。

そんな視点から、勉強を軸にして、広く仕事やこれからの時代の生き方などについても語り合いました。

わたしは、勉強とは本来「楽しいもの」だと考えています。肩肘を張らずに、気軽に楽しく読んでいただければ幸いです。

中野信子（なかののぶこ）

目次

前進はいつも勉強とともに

山口真由【思索編】

脳がよろこぶ学びの技術

中野信子【実践編】

反復と継続の極意

山口真由【実践編】

「好き」を追求した学生時代

中野信子×山口真由◉STUDY_01

才能の伸ばし方

中野信子×山口真由◉STUDY_02

流動化する社会を生きる

中野信子×山口真由◉STUDY_03

中野信子

「学ぶ、知る、生き延びる」

【思索編】

「学ぶ」とはいったいなんでしょうか？
人間は学ぶことで
ここまで生き延びてきました。
自分を知ることで、
学びはよろこびに変わっていきます。
そして、楽しみながら学ぶからこそ、
より自分を知ることができるのです

人に使われる人生でいいのか

わたしは小さなころからかなりの面倒くさがりで、とにかく「無駄なことをしたくない」と考えて生きていました。勉強でいうなら、書けるようになった漢字を何度も練習したくないし、すでにできる計算も繰り返したくない。「自分が無駄と感じたことは一切やりたくない」。そんなことを、ずっと考えていた子どもだったのです。

というのも、わたしはもともと疲れやすい体質で、体力があまりなかった。でも、子どものときは、まだ自分のエネルギーの低さを自分自身で自覚できていません。そのため、自分の疲れる限界がよくわからずにがんばり過ぎてしまい、急にガクッと倒れて体が使えなくなるといったことをよく繰り返していました。そうして、いつしか「体力を節約しなきゃ……」という意識が育っていったのでしょう。

そんなこともあって、わたしは自分のエネルギーをなるべく無駄なことに費やさないようにしつつ、「自分の好きなようにして生きられるといいな」と思っていました。

もちろん、それはいまでも変わりません。

なぜなら、人生は有限だから。

そのため、子どもながらに生意気にも、「シーシュポスの神話のような人生は送りたくない」と思っていました。ギリシャ神話に登場するシーシュポスは、冥府において、頂上に着くとまた転がり落ちてくる岩を山頂へと永遠に押し上げ続ける罰を受けた男です。

「こんな神話があるんだ。人に使われる人生は、自分の意思通りにできないことが多く嫌なものだな……」

そう思っていたのです。

ただ、そんなことを考える一方で、「人に使われる人間でなければ生きていけないかもしれない」という不安もあった。人に必要とされることは世の中では大切なことだとされているようだし、大きな価値と考えられている面もあるからです。でも、人に使われると自分の裁量権は減ってしまう。そのバランスをどうコントロールすればいいのだろうか――。

そのため、小学校高学年から中学生くらいにかけては、**自分はどんな戦略でこれか**

ら何十年も続く人生を生きていくべきかと繰り返し考えていた時期でした。

「そんなことを小学生で考えていたの？」と思われるかもしれませんが、実はみんなうっすらと考えていることではありませんか？　こうして言葉にするとなんだかすごいことのように見えますが、**「好きなように生きたいけど、自分の力じゃ無理かも」とは、多くの人が感じる不安**ではないでしょうか。

また、わたしがとくに不安だったのは、まわりのみんながあたりまえのようにできるのに、わたしにはうまくできないことがあったことです。目先の情報や流行をいち早く取り入れられる力であったり、機転を利かせてその場のスピーディーな状況変化に適応できる力であったり……。わたしには、そんな才能がかなり欠けているのではないかと感じていたのです。

適応できない自分を救った「研究」

一方で、まわりへの適応があまりにすばやいと可能性を潰すこともある、ということもなんとなく理解していました。適応能力が高過ぎるために、「自分にはもっと生来の才能を活かせる仕事があるのでは?」と発想する機会を失ってしまうおそれがあるからです。

当然ながら、これはどちらがよい悪いという話ではありません。ただ、わたしは「自分はまわりに適応しにくいのだから、逆にこの特徴を強みにする必要があるな」と感じていました。より具体的にいうと、「自分にある程度の裁量権があり、まわりにさほど適応しなくてもいい仕事をすべきだ」という基本的な方針があったのです。

また、わたしはひとりで考えることがとても好きでした。そこで、「もし研究という仕事が自分の前に開かれているのなら、それも選択肢のひとつだろう」と考えることができたのです。もちろん、実際に研究職になると、想像とはちがうこともいろいろあったことが判明するわけですが、基本的な方針自体はそうまちがっていなかったといえます。

わたしは、物心ついたころからそのあたりにいる生き物が好きで、理科(科学)に興味を持ちました。小学生のころは、いわゆる百科事典が好きで、分厚い十二巻をずっと読んでいたものです。まわりにあるものの構造を考えることもよくしていました。

いつも、「このものごとの本質ってなんだろう?」と考えている時間が幸せで、好きだったのです。

そして、その答えを用意してくれるものこそ、科学だった。なぜなら、言語や文化、宗教のちがいを超えられる数式や科学は、人類普遍の共通言語だと思っていたからです。

もちろん、花屋さんやケーキ屋さんといった、小学生の女の子があこがれやすい仕事にも興味はありましたが、「花屋さんになりたい」と思った次には、「遺伝子を操作して新しい花をつくったら面白いな」と考えてしまう。多くの人がおそらく感じているような、もっと外側の華やかなコーディネートの部分にどうしても目がいかないのです。

当時は「国際科学技術博覧会(つくば万博)」が開催されたり、水耕栽培が話題になったりした時代で、わたしの心はとてもワクワクしていました。生物学者の利根川進先生がノーベル生理学・医学賞を受賞されたことにも刺激され、科学がとても夢のあるものに感じられたからです。

そして、「そんな自分はやっぱりふつうの女の子とはちがうのだろう……」と、心のどこかで思っていたのでした。

多動力がないからできること

わたしにもっと生まれつき体力があったなら、ものごとに対してまったくちがう感じ方をしただろうし、もっと多動的になれたでしょう。

でも、そんなふうに生きられるほどエネルギーがなかったので、わたしは自分の少ないエネルギーをなるべく無駄にしないようにと意識して過ごしていました。そのことが根本にあるからこそ、「なるべく無駄を省いて、ものごとの本質を効率よく摑みたい」と考えて生きてきたのです。

多動的な人は、面白いことがたくさんできるようです。失敗しても、トライアルの絶対量が多いから〝あたる戦略〟も当然多くなるはずですし、それはときにうらやましくも思います。

ただ、自分のエネルギーの低さがただ残念なのかというと、意外とそうともいえません。たとえば、効率よく動こうと心がけたことで、わたしはできるだけ考えてから行動する習慣が身につきました。また、過剰なエネルギーを頼りに、ひとつの方法や戦略にこだわり続けてしまうのを避けることもできた。

このように、**自分の体が語りかけてくることは、たいてい自分にとっての真実に近いもの**です。たとえ欠点に感じられても、とらえ方次第では自分の武器に変えていけるのです。

しかしながら、自分の特徴をしっかり受けとめたり、自分が置かれた状況を客観的にとらえたりすることができない人をたくさん目にします。

わたしが受験生のときに気づいたのは、成績がよかったのに、途中からどんどん成績が落ちていく人がけっこういたことです。そんな人たちを目にして、わたしは『努力そのもの』が楽しくなりはじめると成績が落ちるのではないか」という仮説を立てました。つまり、**勉強ができるようになることではなく、がんばることが楽しくなってしまう**というからくりです。

わたし自身は努力することがまるで楽しくなかったし、ただ単に疲れてしまうから嫌いでした。でも、努力すること自体が気持ちよくなっている人を見ていると、自分が楽しいうえに結果が出なければ出ないほど親や先生が励ましてくれたりほめてくれたりするので、どんどん〝努力にハマっていく〟のです。

もしかしたら、努力するという行為を好きになる人は、やっぱりエネルギーがあるのかもしれません。また、好意的な見方をすれば、みんなに合わせる力があるともいえます。みんながよいとするものを適切に汲み取り、うまく扱う能力があるということだからです。すると、別に成績は上がらなくても、周囲から「あの人は真面目にやる人だ」と信頼されたり、評価を得られたりすることもある。その意味では、社会により適応できるのは「努力できる人」と見ていいのでしょう。

これは仕事でも同じことがいえます。スキル自体はそれほどでなくても、「真面目に努力できる人」と見られることが社会では大事なこととされているから。それらを前提に考えれば、コミュニケーション方法のひとつとして有効だといえます。

一方で、受験という尺度から見れば、そのスタイルは受験システムにはまったく合っていません。受験生だったころ、わたしは「点数や成績が上がらなければ、その努力にはなんの意味もない」と考えていました。

そしてこれは、社会人の「学び」や資格取得のための勉強も同様です。

なんらかのスキルを本気で身につけたいのなら、無駄なことをしていてはいけないし、**努力そのものを楽しむという罠にハマってはならない**のです。

むしろ、**最短距離で能力を上げる戦略を実行すべき**なのです。

学びは「己を知る」ことが9割

ここまでのことを端的にまとめると、**自分にとって効果的な学びをするには、「己を知る」ことがとても大切**だということです。

わたしは、**「己を知ること」が、学びの9割をも左右する**と考えています。

自分の強みに10代や20代で気づける人もいれば、遅くまで気づけない人もいる。人それぞれよいところはあるはずなのですが、過度に不安を感じがちな性格だったり、まわりの環境の圧力があったりして気づけない人もいます。それは、とてももったいないことです。

それこそ、本来であれば自分の力で独立してやっていけるのに、長年同じ会社で働いてきた体験や環境のために、自分の本当の願望に気づけなかったり、会社を離れることに強い不安を感じたりすることがあるでしょう。逆に、サラリーマンとして適性があるのに、起業ブームに煽(あお)られ会社を辞めて、起業に失敗してしまう人もいます。組織のなかのバイプレーヤーに向いているのに、つい主役をやろうとしてしまうことが招いた悲劇です。

これらはすべて、自分の適性を見誤ることで起こるミスなのです。

会社を辞めて起業する人が、別に優れているわけではありません。サラリーマンとして優秀な人も当然いるわけであって、調整がうまかったり、その人がいるだけでチームがうまくまとまったりする人だっているでしょう。自分が直接業績を上げなくても、みんなが業績を上げやすいように振る舞えるタイプだっています。そんな人たちは、組織にとって大変に貴重な存在なのです。

だからこそ、**みんな自分のことをもっと知るべきだし、自分で自分を評価できることが大切**なのです。

わたしの場合は、比較的早い時期にそのことに気づいたことが強みとなりました。

なにしろ、わたしの日常の振る舞いを見てさんざん「変だ」といってくれた同級生がいたし、家でテレビすらまったく観ないことを知り、「たまにはテレビも観たらどうだ?」といった先生がいたからです。

わたしのようにコミュニケーション能力が不足していると、「勉強ばかりできてもダメなんだぞ」とずっといわれ続けます。一方、コミュニケーション能力がある人は、「勉強なんてできなくてもどこでも生きていけるね!」と認めてもらえる。社会に出ると、ますますその傾向は強まります。

そのため、わたしは思春期のころに自分は社会不適合者であり、「本当に社会で生きていけないかもしれない」と自らの行く末を危惧していました。少なくとも、ふつうの会社には絶対に入れないだろう、と。では、いったいどうやって生きていけばいいのか? そんな大きな不安を抱えて生きていました。

そこで、先にも書いたように**「自分のできること」を探した**のです。

そのなかで、比較的勉強ができたことはわたしを守ってくれました。ただし、「勉強が仕事になるような生き方しかできない」ともわかっていたので、逆にそれ以外の選択肢がなかったことも事実です。

ちなみに、わたしが脳神経医学を専攻した大学院の医学系研究科では医師を目指す人もいましたが、医師であれば、それこそいろいろな患者さんがやってくるし、看護師をはじめとした院内のスタッフたちともうまくやらなければいけないし、医師同士の人間関係もあります。

仮にいくら勉強ができたとしても、わたしには医師になるのも絶対に無理だとあきらめていました。

「過去の自分」にだけ勝てばいい

では、「己を知る」ことが大事だといっても、そのための最善の方法はあるのでしょうか?

自分で自分のことをわかっていることを、心理学では「メタ認知」といいます。

「メタ」とは、いわば「高次の」という意味で、メタ認知は、自分の行動や考え方、性格などを別の立場から見て認識する活動のことを指します。

わたしには、この能力が小さいころからあったのかもしれません。あるいは、まわりに否応なく意識させられた面もあるのでしょう。

人はただふつうに過ごしているだけでは、「己を知る」ことなどできません。鏡に映った自分を見るように、自分のことをはっきり認識できるわけではないのです。すると人はなにをするかというと、まわりと比較します。そして、ときに「あの人はうらやましいな」「どうして自分にはできないのだろう」と、嫌な気持ちになって終わることも多くなる。

最悪の場合、「自分には絶対できないことができる人」を見ると、激しく妬んだり、自己を強く否定したり、その人の足を引っ張ったりすることすらあります。他人と自分を比較することは、場合によってはとても危険な作業になり得るのです。

それでも、**比較することでしか自分のことはわかりません**。

そこでわたしがおすすめしたいのは、比較する対象を選ぶことです。具体的には、「過去の自分」や「自分の理想像に近い人」や「時代の標準」（後述します）との比較をすればいい。
このうち、「自分の理想像に近い人」は当然他人との比較になりますが、これは「自分があこがれる人」という意味合いであり、その人を見たり、思い浮かべたりするとポジティブな気持ちになれる人のことです。
繰り返しますが、ただまわりにいる他人と比較しても、嫌な気持ちで終わることが多くなります。そうではなく、あこがれている人の「真似」をしたり、その人の振る舞いを自分も取り入れたりすることが大切。そして、そんな自分を「過去の自分」と比べて、明らかによくなっていれば上出来だし、たとえわずかな進歩であっても、「昨日の自分よりはマシ」だと思えれば十分です。

すると、**己を知ろうとすることが自分の成長につながっていく**。

そのためには、やはりまわりの環境の影響は大きく、自分が成長できるような環境を積極的に求めていく姿勢が必要となります。せっかく世の中にはいろいろな人がいるのに、「あの人みたいになろう」と思える対象が少ない環境では、自分の成長もなかなか感じづらくなるかもしれません。

自分にある程度の刺激を与えてくれて、**「背伸びをすれば届くかもしれない」と思えるような憧れの人が身近にいるのが理想的**でしょう。年齢が近くて仕事ができる先輩など、そんな人を見つけるのも大切なことです。

「成果」を比べても意味はない

ほかには、「過去に生きていた人」と比べるのも有効です。

歴史上の偉人たちはそう簡単にはない〝個性〟だから記録として残っているわけで、ユニークな個性の持ち主はたくさんいます。そんな人のことが書かれた本を読むのもいいでしょう。

また、架空の人物でも参考になるので、小説を読むことも推奨したい。小説は書かれた時代の社会通念をある程度反映しており、架空の登場人物であっても、その時代の平均的な人の感情を反映した存在といえます。これが、先に述べた「時代の標準」で、それらと自分の時代や思考を比較できるわけです。

とにかく、**使えるものはなんでも使って「己を知る」**。

そして重要なのは、比較して反省ばかりするのではなく、自分の優れた面について考えることです。「なぜわたしにはできないのだろう?」とネガティブにならず、「わたしならこうしてしまうのに、なぜこの人はこんな選択をしたのだろうか?」と考えることもできるはずです。

このように複数の視点から自分を認識するためには、やはりある程度本を読み、知識を得ることが必要不可欠です。学ぶことに苦手意識を持つ人も世の中にはたくさんいますが、本来、**知識を得ることはとても楽しいこと**です。とくに**読書は、いわば椅子に座ったまま世界旅行をするようなもので、安上がりで無駄がなく、しかも亡くなった人からも豊かな知恵を得ることができます**。

そうして自分の判断材料がどんどん増えていき、必要に応じていつでもそれを参考できるようになるのです。

「己を知る」ことを通じて自分の得意な部分を伸ばし、苦手な部分についても、とりあえず機会があれば飛び込んでみてほしい。なぜなら、苦手なことが意外と強みになる場合もあるからです。もちろん、苦手な部分については保留しておくという選択もありでしょう。それはその人の好みでもあるし、状況次第で変わります。

ただし、ひとつだけ注意点があります。それは、行動した結果の「成果」を人と比べることはさほど意味がないということです。

いくら人から好かれたり、経済的に成功して称賛されたりしても、当の本人が心から満足を感じられなければなんの意味もありません。自分の人生が花開く感覚というものは、やっぱり自分が満足できる仕事や生き方をすることでしか得られないのです。

自分のことを誇れるものを、各々が人生でつくっていくことができればよいのだと思います。

生き延びること自体に価値がある

中学・高校時代、わたしは好んで読書や勉強をしていましたが、ほかには、美術部に所属し主に絵を描いていました。単純に、絵を描くのが好きだったからです。様々なオブジェクトを配置し、観察し、描き、それがキャンバス上に現れていく過程を見るのが楽しかった。

でも、ここでもメタ認知がよく働いたせいか、わたしは「自分の描く絵はつまらない」といつも感じていました。見たままをそのまま写しているだけで、いってみればゲルハルト・リヒター[※1]の劣化版みたいな絵だったのです（リヒター自体は、超絶技巧そのものがメタ的にコンセプチュアルで面白いのですが）。まわりの人は上手だとほめてくれましたが、「こんなつまらない絵しか描けないのだから才能がない」と思っていました。いっときは芸術の世界へ進もうと考えたこともありましたが、たとえ東京藝術大学に入れたとしても、そのあとに絵描きとして仕事にしていくイメージや戦略がまったく浮かびませんでした。

ものをつくることに対する強いあこがれはあったものの、冷静になると「自分には研究のほうがいいだろう」と思い直したわけです。この選択がよかったのか悪かったのかはわかりませんが、いまとなってはよかったことにするしかありません。

人生には、なにかものを創造したり経済的な成功を果したりと、二次的ともいえる実績があるでしょう。ただ、先に書いたように、わたしは「ふつうの人のようには生きていけない」という不安な気持ちが強かったので、とにかく勉強するくらいしか方法を見つけることができず、どのように無駄なくミニマルに生きていくかを常日頃、考えていました。

わたしは、**「生き延びること」こそが、生物の基本だと考えています**。そして、**「長く生きた」という事実こそが、実績**だとも——。

世の中には、勝ち組・負け組という言い方がありますが、これはあまりに品のない表現ではないでしょうか。無邪気に使われていますが、そこには仕事を持っていなければ、あるいは稼いでいなければ「生きている価値がない」とほのめかすような響きがあります。「働かざる者食うべからず」と同じ発想で、社会に対して言い訳をしながらでなければ生きていってはいけないと自己卑下するような哀愁が濃く漂う言葉です。

そんなことよりも、**ただ好きなことをやって生き残れるよう工夫すればいい。**

生きてさえいれば、必要がなければあくせく働かなくてもいい。

わたしは、漫画家の水木しげるさんのような生き方はとても素敵だなと思います。悠々と好きなことを貫き、かつ長生きされ、後世の人の心に伝わるものをたくさん残されました。

自分が興味を持っていることや、楽しいと感じることに取り組みながら、長生きする者が勝利する。

生き延びること自体が、大いなる達成なのです。

※1　ゲルハルト・リヒター
ドイツの画家。写実主義的な絵画を学んだのち、「写真絵画」「抽象絵画」など独自の作風を追求し、長年にわたり現代美術を牽引した

人は何歳からでも学べる

勉強のことに話を戻しましょう。結局のところ、勉強はできたほうがいいのでしょうか？

たしかに、試験で高得点が取れるといろいろ得なこともあります。しかし、そんなこと以上に、わたしは勉強することは生きていくうえで役に立ち、またとても楽しいことだと考えています。

別に勉強をしなくても問題なく生きてはいけますが、知識を持っていたほうがより楽しく生きることができることはまちがいありません。たとえば、自動車に乗るにしても、電気系統や内燃機関の仕組みを知っていたほうが楽しいだろうし、故障したときに実際的に役に立ちます。少なくとも、「ここが壊れたんじゃないかな？」とあたりはつけられますよね。

学ぶことで損をすることはありません。

よく、「いまさら勉強するなんて遅い」という人がいますが、ちっともそんなことはない。むしろ、大人になってからのほうが、より効率よく学べる材料を手にしています。外国語でも、様々な日本語の語彙やコミュニケーションの手段を知ったうえで学んだほうが習得は格段に早いだろうし、どんな分野でも大人になってたくさんの知識や経験があるうえで勉強すると、とても早く身につきます。

人それぞれ、**学びの気持ちが高まる時期があると思います。そして、そのときこそが「学びどき」**なのです。

若いころに比べたら、少し記憶力が衰え覚えにくくなっているかもしれませんが、大人の学びは無駄なまわり道をせず、大事なことだけを覚えられるはずです。

わたしは、**純粋に学ぶことが楽しかったから、これまで学び続けてきました。**自分の世界が広がっていくことが、ただただ楽しかったからです。

あなたは、仕事以外で会いたいと思われているか

わたしはいま、時間を見つけてはフランス語を勉強しています。若いころにフランスの研究所で働いていましたが、放っておくとどんどん耳がついていかなくなるため、もっと楽に話せるように学び直しているのです。

なぜ、フランス語を話したいのか？　それは、フランス人は日本人とは考え方や価値観がまったく異なり、話しているだけで興味深い発見が多いからです。まさに、「自分の世界が広がっていく」感じがします。

ひとつ例をあげると、日本では1990年代後半から2000年代にかけて、「バブルが崩壊して日本は沈没する」というような、暗いムードの議論が巷にあふれていました。ただ、これはフランス人も同じで、わたしのフランス人の知人は、「いまの状況が続くとフランスこそ終わりだよ」といいます。

でも、わたしが面白いなと思ったのは、そう話す彼がまったく悲観的ではないことでした。

彼の考えを簡単にまとめると、いまの政体である第五共和政が終わるだけで、また

次の新しいフランスが生まれるだろうし、いまは遷移期であって歴史が終わるわけではない。時間というのはずっと地続きになっていて、ただその上に乗って生きている自分たちの様子やあり方が変わるだけだということでした。

これは、何度も政体の変化を経験してきたフランス人ならではのとらえ方で、わたしはとても興味深く感じました。かたや、ずっと一定のシステム（政体だけでなく経済成長だけに邁進するシステムもそのひとつ）に乗ってきた日本人は、いったんそのシステムが根本から揺らぐと、まるで世界が終わってしまうかのような悲愴感を抱いてしまうのかもしれません。

また、口では「イノベーションが必要だ」というわりには、変わらずに続けることを重視する日本人に対し、フランス人は自分たちの力でものごとを変えることに大きな価値を置きます。日本と同じく伝統を大切にする国なのに、保守層だけでなくリベラル層もとても強く、そのことに誇りを持っていたりもする。そんな新しい発見をたくさん与えてくれる人たちなので、もっとフランス語を勉強し、積極的に話して、自分の間口を広げたいと思っているところです。

語学は、ただ流暢に話せればいいというものではありません。それこそ、ただ単に日本語が上手なだけで、話も考え方も面白くない外国人はたくさんいますよね？　それと同様で、外国語を学ぶ日本人の多くも、いつのまにかそんな状態を目指してしまっているのかもしれない、と感じることがあります。

だからわたしは、フランス人から見て、「この人は東洋の面白い考え方を持っているな」「中野さんと話したいな」と思ってもらえる人になりたい。

仕事で外国語を使ううえでも、そんな部分のほうがずっと大切です。ただ、外国語が話せるだけの人ではなく、**「話すといつも新しい発見があるな」「なんか元気が出るな」と相手に思わせる言葉や情報を提供できる人が、これからの時代に活躍できる人**ではないでしょうか。

コミュニケーション力は国語力

そんな人になるためには、自分の考えを伝えられるだけの外国語の語彙や発音、表現を知るとともに、なによりも「国語力（日本語力）」が大切です。**国語力が足りな**

ければ、そもそも「考える」ことができないからです。

ここでの国語力とは、「言語の運用能力」を指しますが、これはあらゆる意味で重要なものです。たとえば、国語力がなければ試験などで自分の考えを述べることができないし、問題を正しく読み取ることもできません。すると、そもそも相手の意図が理解できなくなってしまいます。そのため、**外国語を学ぶ人こそ、なにより日本語を同時に耕さなければならない**のです。

加えて、国語力が不足していれば、いくら外国語の語彙が豊富でも文法が完璧でも、「相手を楽しませること」などできません。たとえ相手が話すことを理解できたとしても、「(相手は) こんなことを語ってほしいんだな」と解釈して返答することはむずかしいでしょう。すると、外国語をいくら勉強しても、いつまで経っても豊かな会話を楽しむことはできません。

ほかにも、国語力は多くの階層にわたっていて、たとえばたわいない会話で相手を笑わせたり、その場の空気を和ませたり、相手をいなしたいときに鋭い一言で切り返すことだったりと様々です。本から引用した一言で説得力を高めたり、ことわざなどを織り交ぜて表現したりすることもあるでしょう。

本書のテーマは勉強なので、ここではっきりといいます。世の中では、実に多くの人が、「社会に出てからは人間関係こそが重要で、勉強はさほど重要ではない」「別に勉強しなくても人付き合いができれば稼いで生きていける」「頭のよさと組織のなかで仕事ができるかどうかは別」などと考えています。そして、そんな人たちほど、「コミュニケーション力がすべて」「頭のよさよりも人間力だ」などと主張しがちです。

しかし、コミュニケーション力の本質は、性格でも人間力でもありません。


コミュニケーション力とは国語力であり、言語の運用能力です。


一見コミュニケーションに長けているように見えて、ただ流暢にしゃべるだけという人とは違います。そんな人とは、なにより仕事以外で会いたいとは思えないのではないでしょうか。逆に、外国人のなかには、たどたどしくてもしっかりと相手に響く日本語を話す人もいます。

適切な言葉を迅速に選び、**人の心を動かすのは、人柄ではなく言語の運用能力**です。

そして、読書や勉強で身につけた知識や、豊かなコミュニケーションを通じて積み上げてきた経験によって育まれる部分も、知能の一部として知能テストでは評価されますが、幸いなことにこれは、年をとっても衰えることはなく、積み上げれば積み上げるほどぐんぐん伸びていきます。いわば、〝やったもの勝ち〟なのです。

そうしてわたしも、「相手の心に刺さる言葉」を話せるようになりたいと心から思い、いまフランス語を勉強しています。

美的感覚が生死を分かつ？

もうひとつ、わたしが学生時代から関心を持ち続けている分野が「アート（芸術）」です。わたしは、**「ものをつくる」ということは人間の本源的な行為**だととらえており、無からなにかを創造し、表現することの輝かしさに惹かれ続けてきました。

最近では、そんなアートの力に多くの人が注目し、ビジネスにもアートの視点を活かすといった考え方も広まっています。ただし、わたしが惹かれているのは、より〝本来の意味においてのアート〟です。

2015年、テルアビブ大学の自然人類学者の研究チームは、約5万5000年前、まだ人間が獣の皮を剥いでそれを被って着ていたような時代に、現生人類はネアンデルタール人と共存していたという説を発表しました。しかし、やがてネアンデルタール人のほうは滅亡していきます。現生人類とネアンデルタール人には、いったいどんなちがいがあったのでしょうか？

これは常に議論になるテーマですが、２０１９年に発表された東京大学や名古屋大学博物館などの共同研究によると、４万〜４万５０００年前の西アジアにおいて、現生人類が見せた特徴的な行動が明らかになりました。それは、彼らが生活していたヨルダン南部の内陸乾燥域の居住地から55キロメートル離れた紅海の貝殻を、象徴品として用いていたという行動です。現生人類の特徴として、海岸からかなり離れた場所で貝殻が見つかることは知られていますが、その貝殻がどうやら象徴としての役割を果たしていた形跡があったのです。

ものと交換するための貨幣としてなら考えやすいですが、なんらかの象徴として、つまりオーナメント（飾り・装飾）のようなものとして使われていたというのは、いったいなにを示しているのでしょうか？

それは、**「美しい」という感覚を持っていた**ということです。

そして、もしそうした感覚の有無が、種の滅亡に大きく関わっているとしたら、とても興味深いことですよね。

「美しい」という感覚が共有されていると、それらを身に纏(まと)う者はおおいなる存在(たとえば神や太陽や宇宙)を象徴するパワーを持つとみなされ、「権力」にも直接関わります。それこそ、神の権威を用いて集団の意思を統一することもできるし、戦争をさせることもできるし、農耕をさせることもできます。ものすごく大きなちがいが生まれるわけです。

世の中にはアートのような「つくりもの」は、現実生活に役立たない無駄なものとする考えもありますが、実は人類をここまで生存させてきた、とてつもなく重要なものなのかもしれないのです。

アートは自分の本質を探る手がかり

わたしは子どものころに、「無駄なことをしたくない」と思って生きていました。試験勉強に限っていえば、なるべく無駄なことをしないように注意を払っていたと書きました。

しかしながら、そんなかつてのわたしのような功利を第一とする考え方だけでは、この世にある人間社会はとても維持できなかっただろうし、そこに住む人間もまた生き残ることはできなかったのです。そうであるなら、**一見「無駄」なように見えるもののなかにこそ、人間が生き残ってきた秘密があり、自分の生き方や「あり方」を探っていく鍵がある**かもしれません。

だからこそ、アートに触れることで、自分自身にも深く分け入ることができます。

つまり、**アートに触れるということは、自分に与えられている生来の機能や、自分という人間の「本質」にどのような意味があるのかを考える、最良のきっかけにもなる**ということです。

自分のなかでうまく言語化できないものは、この世の中にたくさんあるでしょう。もちろん、わたしたちはそれをなんとか言葉で説明しようと悪戦苦闘するわけですが、イメージするようには他人になかなか伝わらない。そうしたときに、「こういうことでしょ?」と実際のかたちにして、目の前に見せると伝わることがよくあります。**言語で伝わらない概念を伝えたいときに、アートはとてもいいコミュニケーションツールになります**。

また、どんな人でも自分のなかになにか伝えたいものが眠っていて、それを表現することでなんらかの〝浄化〟ができるかもしれません。自分の思いをかたちにすることによって、はじめて解消される感情があるのです。

そんな、人間の本源的な行為としてのアートを、わたしはずっと評価しています。

「できないこと」に注目すると世界が広がる

これもまた子どものころ、人間以外の生物からの見え方をよく想像していました。人間とは異なる視覚を持った生物には、世界はまったくちがうように映っている。

我々、人間には決して見えないものが、世の中にはたくさん存在している。そんなふうに思っていたからです。

図鑑を見ながら、「複眼ってどんなふうに映るのだろう?」と想像し、自分とはちがう視覚を持つ生物がいることを面白く感じました。なかでも印象的だったのは、蝶には紫外線が見えるということです。モンシロチョウなどの蝶は、紫外線を吸収する雄の体は黒く見えて、逆に雌の体は反射して白く見えるため、そのちがい(模様)の有無によってお互いを識別しているのです。でも、その模様は人間には見えません。

「わたしたちに見えないものが世の中にはたくさんあるのだから、ひょっとしたらいま見えているものも、本当の意味では見えていないのかもしれない」

人間の見え方だけが絶対ではないのです。人間以外の生物——たとえば犬の見え方だって人間とはちがうもので、犬からすれば視覚よりも嗅覚や聴覚のほうがより重要です。そんな世界だってこの世にはあるのです。見え方がちがえば、世界の認識の仕方は当然異なります。

そうした状況において、たとえば犬や蝶の視覚を体験できるアート作品があったら面白いと思いませんか？　そんなアートに触れると、きっといろいろなものの見方を相対化することができるでしょう。

実は、人間も男性と女性で視覚はちがいます。色の見え方が少しちがったり、動体視力がちがったりする。男性と女性では網膜のなかにある特定の細胞の分布がちがうため、見えているものが少しちがうのです。

多くの女性が花を見てきれいだといっても、多くの男性はあまり花がきれいだとはいいません。これは、男性と女性で見え方がちがうことも関係しています。２０１２年のニューヨーク市立大学ブルックリン校の心理学教授、イズリエル・エイブラモフの研究グループによると、微妙な色のちがいを見分けることができるかどうかを男女でテストすると、女性が見分けられた色を、男性は見分けられなかったり時間がかかったりするという結果が出ました。

つまり、女性には本当に花が「きれいに見えている」のです。繊細な色のちがいがわかり、お菓子などでも味だけでなく見た目を重視します。

一方の男性は、一般的に動くものが好きな傾向にあります。子どものころからボール遊びや、車や電車や飛行機といった乗り物が好きだったりしますよね。それは、動体視力が女性よりもよいことも関係しています。

男の子がよく線路の横でずっと電車を眺めているのを目にすることがありますが、逆に女の子は、景色や洋服などを飽くことなく眺めることがあります。もちろん、これには男性は男性らしく、女性は女性らしくというふうに、生育環境によって刷り込まれるステレオタイプの影響も多分にあるでしょう。

ただ、わたしは男女の生物学的な差異に注目するのはジェンダー論が盛んに議論されるいまだからこそ面白いことだと考えています。たとえば、女性が男性並みに筋力をつけることができたとしたら？　もしかしたら、急に戦闘的になるかもしれません。そんな装置があったら面白いと思いませんか？

そんな**既存の考え方や価値観の土台を揺るがし、根本的に相対化させるもの。その装置こそが、アート**なのだと思います。

テクノロジーの進化により、「本来はできないこと」をかたちに表す作品が、現代アートの文脈に出てきています。たとえば、現代美術家の長谷川愛さんの『Shared baby』（２０１１年）は、複数人の遺伝的親を持つ子どものためにプロダクトを作成し、ワークショップを展開。ほかにも、異種（ヒトとイルカ）のあいだで子どもを産む映像作品（『I Wanna Deliver a Dolphin…』（２０１１年〜２０１３年）や、実在する同性カップルの遺伝情報をもとに、でき得る子どもの姿を表現した『(Im)possible Baby Case 01: Asako & Moriga』（２０１５年）という作品もあります。

いま、遺伝子検査サービス「23andMe」に自分の唾液を送ると解析されたＤＮＡデータが返ってきます。そのデータをふたり分集めてウェブ上の簡易版シミュレーターにインプットすれば、そのふたりの子どもの姿をシミュレーションしてくれます。子どもの髪の毛は巻き毛かストレートかといった外見や性格が予測され、とても興味深い作品です。

こうした**アートに触れる体験が多くの人に共有され、旧来の考え方が相対化されていけば、現在の社会における価値観もより幅を持ったものへと変わっていく**でしょう。先駆的なものは、いまアートの領域で最初に生み出されています。そして、現代アートにおいては、観る人である〝大衆の意識〟を変えていくことが、アーティストの大きな役割のひとつだと認識されつつあります。

生きるとは、苦しい状態を楽しむこと

ここまでわたしの人生を振り返りながら、「学び」とはなにか、どうすれば「学び」の効果を最大化できるのかについて記してきました。そして、わたしが関心を持って勉強し続けている語学やアートから、人間同士のコミュニケーションや社会の価値観のありようといったものについて、本質的な「学び」を得ていることを記してきました。

わたしは基本的に、人の生き方について他者が正解を設定することはナンセンスだと考えています。なぜなら、あたりまえですが、まず正解を設定する権限が他者にはないからです。そしてもうひとつ、結局、人はどのように生きてもいいのだから——。

ただ、そうはいっても、「将来をどう考えればいいのかわからない」「これからの時代をどんな姿勢で生きるべきなのか」「どんなテーマの学びが役に立つか」といった気持ちになることもあるでしょう。

そうなるのは、おそらく不安が大きいからです。経済的なことか、自分が評価されなくなることか、生理現象として不安な気持ちがただ襲ってくるのか……人それぞれちがうと思いますが、心が落ち着かない状態なのです。

でも、ぜひ知っておいてほしいのは、そもそも「生きていること」自体が落ち着かない状態だということです。自然科学には動的平衡という用語がありますが、常に振動し、動いているのに平衡状態にあるのが、わたしたちの生きている状態なのです。

だからこそ、**「苦しいな」と思ったら、それは生きている証拠**だと思うことが大切。もう少し踏み込めば、このような態度を生きていく土台にすることです。

苦しい状態を、楽しむ。

答えがない人生において、いまわたしは知識を得ていく楽しみを味わいながら日々を生きています。でも、人はどうしてもその先を考えてしまう生き物。勉強した成果として、学歴やお金がどうしてもほしくなってしまうからやっかいなのです。

これまではある程度の学歴があれば、ある程度のお金を得られる想定で生きられる社会の設計がありました。その枠組みに自分をはめ込んで楽しく生きられる人は、それはそれでいいでしょう。

でも、そんな社会の枠組みにうまくはまれなかったり、違和感を覚えたりする人は、ぜひ自分だけの「学ぶよろこび」という最高の贅沢を味わってみてください。

知識を得て学ぶことは、時空を超えた楽しい旅です。

そして、究極の人生の楽しみなのです。

山口真由

「前進はいつも勉強とともに」

【思索編】

もし自分に飛び抜けた才能がないと思うなら、人よりも学びに時間をかけるべきです。自分の得意なスキルと「好きなこと」に集中し、一歩ずつ確実に前へと進んでいけばいいのです

子どもながらに学んだ真理

両親ともに働いていたこともあって、わたしの家は毎日がばたばたと慌ただしく、賑やかな場所でした。

保育園に預けられていたわたしは、送り迎えをはじめ、比較的多くの時間を母と過ごしました。母は毎日とても忙しく、朝家を出る時間も明確に決まっていたので、それまでにわたしはすべての準備を終える必要があります。そこで、小さいころから自分なりに段取りをして、朝の準備を必死で覚え、しっかりそれらを身につけることを求められました。

子どもというのは、生まれ育った環境や家のルールに従わざるを得ないものです。我が家は両親が多忙で、とくに母は家事もあることから時間がかなり限られている。そのため、ある行動について「この時間しかない」となれば、従うほかありません。

買い物に行ったときに、「ほしいものはある?」と聞かれると、子どもは迷います。もちろん、母も少しは待ってくれますが、「これもほしいけど、あれもなあ……」とやっていると、「いちばんほしいものは? わからないのなら次にしよう!」となって終わってしまう。でも逆に、聞かれたタイミングでしっかり答えられたら、ふつうに買ってもらえる。母はそんな人でした。そのとき、こう感じたことをよく覚えています。

「わたしが決めるのを待ってくれるわけじゃないんだ」

母の教育により、わたしは子どもながらに、「時間には限りがある」ことを自覚したのかもしれません。**限られた時間のなかで、ちゃんと自分の意志を決めなければ、次に進むことはできない**。時間はいつまでも待ってくれないし、人というのは他人の都合とタイムスケジュールで動いている——。

「わたしはこれがほしい」

「あれが食べたい」

そんなことすらきちんと伝えられなければ、自分がほしいものはなにも与えられないままになってしまう。

でも残念なことに、わたしはもともと効率が悪く、タイミングが悪いところで「トイレ行きたい」などといってしまうような子でした。逆に母は、料理をしながら同時にほかの用事もうまく片づけられる人でした。これがわたしの場合は、切るときは切る、焼くときは焼くだけで終わってしまう。複数のものごとを同時に処理するのがとても苦手で、いまでも料理や運転は不得意なのです。

要するに、ひとつの時間に、ひとつのことしかできない子だったわけです。

凡才は「段取り力」で勝負する

それでも、母の姿を見ながら、「限られた時間を有効に使うことが大事」だと少しずつわかっていきました。そして、なんとか意識して行動することで、自分なりに段取りを考える姿勢が次第に身についていきます。

小学生になったころには、なにかの行動をする前に、自然とものごとの段取りを考えるクセがついていました。たとえば、毎朝、近所に住む女の子の家に迎えにいってから一緒に通学していました。ところが、呼び鈴を押してから5分か10分は待たされてしまうのです。そこで、経験則から待たされる時間も含めて逆算し、自分から意識的に早めに家を出るようになりました。

また、忙しい母を見ていると、わたしもいつしか「時間が惜しい」と思って過ごすようになっていきました。すると、学校の行き帰りの時間がもったいないことに気づくわけです。そこで、その時間に「大好きな本を読めばいいじゃないか」「本って歩きながら読めるんだ！」と発見してうれしくなり、毎日本を読みながら登下校するようにもなった。

いまあらためて思い返すと、もうそのころになんとなく、自分の才能の限界というものを自覚していたようです。あたりまえですが、子どもはなんの限界意識も持たずに生まれてきます。「自分はなんだってできる。自分の夢はなんだって実現できる！」などと、ポジティブに考えて生きていくのがふつうかもしれません。

でも、それぞれの生育環境によって、次第に自分自身の限界を意識していきます。家にお金がなければ進学のことだって心配になるし、人よりもうまく話せなければなぜか深く落ち込み、身長が低いというだけでも（意味もなく）いろいろな限界を思い知らされます。

わたしはなぜか集団生活から外れてしまうタイプでした。理由はわかりませんが、みんなができることをやろうとしても、いつもあまりうまくできません。活発でもないし、運動も苦手だった。

さらにわたしの場合は、どんなに忙しくても、頭と体をフルに使って乗り切ってしまう母の姿を間近に見ていたことが決定的でした。つまり、早いうちから「わたしは母のようにはうまくやれない」「自分は絶対に天才じゃない」と気づいてしまったのです。

では、どうすればいいか？　小学生のわたしが出した結論は至ってシンプルなものでした。

人より時間をかければいい。

それからというもの、わたしのなかで時間に対する意識がどんどん高まっていきます。人が無意識に無駄にしている移動時間や休憩時間もわたしは有効に使わなければならないし、歯を磨いている時間や、5分程度の待ち時間だって後悔のないように使いたい。もちろん、そのための準備や段取りを意識する必要もあります。

繰り返しますが、わたしは「ひとつの時間にひとつのことしかできない」タイプです。これは生まれ持った素質で簡単には変えられません。でも、だからこそ、歯磨きのような「習慣」や、移動や待ち時間などの**「隙間時間」にフォーカスするようになった**のです。

与えられた時間に「なにをするか」という中身はもちろん大事だけど、そこまでの「段取り」も意外と大事。

そんな感覚が、小さいころから根づいているのです。

テレビを観るより本を読むほうが楽

歩きながら本を読むほど、わたしは子どものころから本が好きでした。

きっかけは、幼いころに母が熱心に絵本を読み聞かせてくれたことにあります。忙しかった母ですが、絵本の読み聞かせの時間だけは「時短」しようとしませんでした。しかも、それを毎日の〝重要イベント〟として行っていたので、わたしは毎晩の読み聞かせの時間が心底楽しみで、やがて本がいっぱいほしいと思うようになりました。

もうひとつ本が好きになったきっかけは、空想にあったと思います。わたしは寝つきがとても悪いほうです。保育園の昼寝の時間は、いちども眠ることができませんでした。そこで、その時間にひとりで延々と空想することにしたのです。その空想の題材がまさに本でした。昨夜読んだ本の続きを想像して、ひとりで楽しんでいたことをよく覚えています。

集団生活自体は、みんなの輪を乱さないようにどうにか対応できました。でも、マイペースなわたしは、自分の決めたルールとスピードで動くほうが好きです。そのため、みんなに合わせてお昼寝する時間やそれ以外の時間も、部屋の隅っこのほうでひとり空想にふけっているのがいちばん楽だったのです。

母のスピード感についていけなかったり、友だちにも自分の気持ちをうまく伝えられなかったり……、なんとなく現実に満足できない感じが、そのころからわたしにはありました。でも、本を読んでいるときだけは、自分のだめなことを忘れられた。だからこそ、ますます「本っていいな」と思うようになったのです。

小学1年生になって学校の図書館に通うようになると、「1日1冊読んで、図書館の本をすべて読破しよう」と決意します。順調に読み進めていったものの、6年生のころになると父と母の本棚に興味が完全に移ってしまい、図書館の本をすべて読むという目標は果たせませんでした。両親も本をこよなく愛する人たちでした。余暇の時間はたいてい本を読んで過ごします。そのため、我が家では家族全員が無言でそれぞれ自分の本を読むような時間もあったくらいです。

とくに、わたしは父の本が好きで、イギリスの作家であるフレデリック・フォーサイスの『ジャッカルの日』などのスパイ小説に夢中になりました。それらの本は、話の展開も論理的で、細かな描写にはリアリティがあります。そして、豊富なエピソードによって人物像が浮かび上がってくるのです。このタイプの小説は、読者にうすぼんやりとした印象を抱かせません。「これはこういうこと」だとわかるように、読者のもとまでしっかりと届けてくれるものでした。

それに比べ児童書は、「子どもにここまで知らせていいのか?」という遠慮が見え隠れします。性愛も暴力も、この世に必ずある現実を、うすぼんやりとしか描かない。わたしは、そこに物足りなさを覚えるようになりました。「子ども目線ってこんな感じでいいんでしょ?」と無理に視点を下げないでほしかったのです。リアルな世界をちゃんと描いてほしい。そんな願望から、両親の本棚からこっそり読みはじめて、やがて区立図書館にも通うようになりました。

わたしは、読書において「ここではないほかの世界」を楽しみたいので、大人になったいまでも小説をメインに読んでいます。そのほかは完全に勉強関連の本です。その中間にあたる教養書やビジネス書はあまり読みません。小説は、勉強の本に比べればずっと楽に読めますし、勉強の気分転換にも最適です。

勉強の合間に小説を読み、数分読んだら勉強に戻る。小さいころから本を読んでいたので、単純に「読むこと」になんの負荷もない。テレビや映画を観るよりも本を読むほうが楽だったのです。

「目標」が進むべき道を示してくれる

人生の早い段階で本が好きになりましたが、そのほかでも人生に大きな影響を与えた出来事があります。当時はバリバリのキャリアウーマンで、その後、皇太子妃になられる雅子さま（2019年5月に皇后陛下に）のお姿をテレビや新聞で拝見したことです。

「世の中にはこんな人がいるんだ！」

本当に驚きました。オフホワイトのコートをお召しになった雅子さまのお姿は、気高いまでにとても美しいものでした。しかも、ハーバード大学卒で外交官というではありませんか。マスコミは執拗なまでに雅子さまを追いかけ続け、テレビをつければ雅子さまの特集が流れています。美しさ、聡明さ、品のよさ……どれをとってもあこがれました。なかでも強く印象に残っているのは、小学校5年生のときの雅子さまが書かれた作文です。内容もさることながら、一つひとつかたちよく整った文字の美しさに驚きました。

皇室に入られた雅子さまと自分を比べるなんておこがましいことです。しかし、子どもだったわたしには、単純に雅子さまが「目標」になりました。それまで具体的な夢など持ったこともなかったので、目指すべき目標ができたことはとても大きかった。

それをきっかけに、わたしは外交官や官僚の仕事について調べはじめ、城山三郎さん原作のドラマ『官僚たちの夏』なども観て、「官僚ってかっこいいな!」とあこがれをどんどん強めていきました。

もちろん、国を動かす仕事について具体的に理解などしていませんでしたが、北海道に住んでいたわたしは、とにかく日本の中心に霞が関という場所があり、そこで日本について大切なことが決められていると理解しました。そして、雅子さまのようなかっこいい仕事ができる人になりたいと思ったのです。

調べると、外務省はキャリアを年に21人採用(当時)するらしい。そのことを知ったわたしは、**机に「21」と書いた紙をペタッと貼りつけました。**

すると、そんなわたしの様子を見た父が、こんなことをいったのです。

「官僚になりたいなら、目指すは東大の文一だな」

いま思えば、かなりざっくりしたアドバイスですが、わたしにとっては、自分が進むべき道を具体的にしてくれるひとことでした。「いま勉強しているのも、目の前のテスト勉強も、すべては東京大学の文科一類に行くためにある」。そうシンプルに思えたとき、雲が晴れていくような感じがしたのです。

わたしは東大文一に入り、日本で21人のうちのひとりになる。

そこから、より真剣に勉強に取り組むようになりました。

「なら、もっと勉強するしかないか」

中学校までは地元北海道の公立校に通ったのですが、熱心に本を読んだとはいえ、進学に向けて熱心に勉強していたわけではありませんでした。

さらに、小さいころから要領が悪かった……。いわれた通りにやっていても、みんなと同じようにこなすには、人より多くの時間がかかったのです。

ただ、勉強だけは少しちがいました。自分で時間をつくり出しさえすれば、やればやるほど安心できたし、結果が伴ってきます。そこで、なるべく**自分に与えられた24時間という時間を、最大限に活かしたい**と考えるようになりました。

「わたしって、できない子だ」という思いは相変わらずです。肝心の試験で点数が悪いこともありますが、勉強については「このテストの結果が悪くても、最終的には自分は絶対にできるはずだ」という感覚があった。それはおそらく、両親や周囲の人間たちから「真由は言葉を覚えるのが早い」「勉強がよくできる」というポジティブな言葉をずっとシャワーのように浴び続けてきたからでしょう。知らないうちに「わたしは勉強ができる」という謎の確信を持つようになっていました。大人になってから母に尋ねたところ、「ちょっと盛っていたけどね！」「それほどでもなかったわよ」といわれてびっくりしたのですが、幸運にもそんなポジティブな言葉でパワーをもらっていたようです。

「わたしはできる」と思っていると、実際にできなかったときに、ものすごく落ち込んでしまうのが人という生き物です。ただそれでも、「わたしはダメだ」とはなから思っていて挑戦すらしないのとはちがいます。ある程度落ち込んだら結局は勉強を再開できるのです。

勉強に関してだけは、自分はダメなのではなく、「ただやり切っていなかったんだ」

「もっとがんばれたはずだ」「自分の実力はこんなものではない」「自分の潜在能力を使い切っていないだけ」と思えるからです。

そのため、わたしは勉強や試験がうまくいかなかったときも、落ち込みはするものの、「できないものは仕方ない」とあきらめたことはありません。そうではなく、「時間をつくって勉強すればなんとかなるだろう」と、どこかで楽観的にとらえていました。

テストの点数で誰かに負ければ負けるほど、「なら、もっと勉強するしかないか」と、机に向かって参考書を開くことができたのです。

チャンスを活かさない手はない

中学校3年生になったころ、わたしはある全国模試で1位になりました。

でも、これは運がよかっただけだと振り返ることができます。その模試は、中学の学習範囲をすべて含んだような範囲がやたらと広い試験でした。そう聞くと、逆にむずかしい模試に感じます。しかし、わたしは子どものころから文章を読むスピードが異様に速かった。そのため、教科書を何度も繰り返し読んでいて、人よりも内容を理解できていたようです。

わたしのなかでは、「本当の実力ではない」としか思えないラッキーな全国模試の1位でした。ですが、模試を主催する塾がその結果を見て、東京にある高校の受験をすすめてくれました。そのとき、またひとつ、目の前に具体的な道が示されたように感じました。それまで、当然のように北海道の公立高校（家から通える札幌南高等学校に進学するつもりでした）への進学を考えていたわたしは、「人生には、そんな道もあるんだ」と、ふと気づかされたのです。

しかし、高校進学で上京することには、行動力のあるさすがの母も心配しました。「東京もいいけれど、地元からでも東大は目指せるでしょう?」というのが最初の反応でした。ですが、そういわれたとき、「そういうもんじゃない」と、なぜか強くわたしは反発したのです。

東京というなにもかもが進んだ場所で勉強している同年代の子たち――そういう子たちに追いつけないわけじゃない。北海道の高校からだって、ストレートで東大に進学することは不可能ではないだろう。でも、開いたドアはすぐに閉まってしまう。

このチャンスを活かさない手はない。

わたしには、小さいころから忙しい母親と接していた体験が色濃く残っていたのでしょう。**いまという時間や機会をできるだけ活かさなければ、与えられるものはどんどん手からこぼれ落ちていく**。「ほしいものはない?」と聞かれたときに、ぐずぐず迷っていたらチャンスの扉はどんどん閉まってしまう。人生とは有限なものだ。時間にも機会にも限りがある。だからこそ、自分の前に開かれた扉の向こうにどれだけ飛び込んでいけるかが大事なんだ――。

母と過ごした幼少期の時間があったからこそ身についた、後天的に〝つくられた本能〟のような感覚だったのでしょう。

「中学生でそんな決断ができるなんて」とよくいわれますが、同時に、わたしは反抗期でもあったのです。自分の夢に連れていってくれる乗り物は待ってくれないのだから、とにかく乗り込まなければ話ははじまらない。

自分に言い聞かせるようにして、「わたしは東京へ行く」と両親に告げ、筑波大学附属高等学校の入学を決意するのでした。

勉強すれば、確実に前へ進んでいける

高校進学を機に親元を離れたことは、わたし自身のターニングポイントになりました。横浜に住む祖母の家にふたり暮らしです。祖母の家は学校からかなり遠く、学校が終わったあとに友だちとどこかに遊びに行けるような環境ではありません。結果、それなりに「ひとりきりの日常」になったのです。そのため、わたしは空いた時間すべてを使って、「自分の好きなことをやろう」と決めました。

つまり、**「勉強をとことんやろう」**ということです。

中学校までは「休み時間まで勉強していたらふつうじゃないと思われるよね」と考えたり、家には家のルールがあったりで、とことんまで勉強することはできませんでした。でも、ぽつんとひとりになると、自分で自分の生活の主導権を握ることができます。

もうひとつ、夢中で勉強したきっかけもありました。1年生のときの「都民の日」に、同級生にこういわれて笑われたことがあったのです。

「真由ちゃんは道民だから休めないね」

おそらくその同級生は冗談のつもりでいったはずです。しかし、「東京生まれ、東京育ちの子」に対してコンプレックスがあったわたしは、その言葉に傷ついてしまいました。実際のところ、同級生はみんないい人ばかり。とはいえ、小学校からずっと一緒の子や中学校から入ってきて一緒になった子たちと、高校からポツンと入った子のあいだには、微妙な色分けがありました。思春期というのは、そういう微妙なグラデーションをやけに敏感に感じてしまうのです。

でも、だからこそわたしは吹っきれたのかもしれません。「小学校からずっと同じ学校で進学してきた人とは、どうせ同じにはなれない。それなら逆に、外れてしまってもいいんじゃない？」中学校時代は、周囲の目を気にしながら勉強をし過ぎないようにしていました。そういう枷（かせ）を、高校で外すことにしたのです。「いままでだって、どうせふつうでいようと思い頑張っても、そこから外れちゃう子だった。それならとことん勉強して、ひとりでどこまでも外れてやろう」と気持ちが吹っ切れました。

そこでわたしは、学校や家での勉強時間はもちろんのこと、通学にかける約1時間半のあいだも必ず参考書を開き、苦手にしていた数学の問題をひたすら解き続けました。たとえ満員電車でも立ちながら問題を解き続け、それこそ家では歯磨きをしながらでも勉強しました。

「なぜそこまで勉強できるの？」と驚かれるのですが、きっとわたしは**「前へ進んでいる」という感覚が好きだった**のです。

これは、野球選手になりたい人が練習に打ち込むのとまったく同じことです。その人たちは野球が得意だからやり方を覚えるし、野球に打ち込むなかで、どこかに「前へ進んでいる」感覚を持っていることでしょう。

それが、わたしにとっては勉強だったのです。

勉強をすると、確実に「前へ進んでいる」感覚を得ることができます。途中、不安な気持ちにとらわれても、「とにかくいま1ページ進んでいる」と思えれば、焦燥感が消えてホッと安心できるから不思議です。その意味では、勉強はわたしにとって〝逃げ道〟だったのかもしれません。

あるいは、世間が勉強というものを特別視していると考えることもできます。たとえば、ゲームをやり続けて向上している感じがあるなら、ますますゲームにのめり込んでいくのがふつうですよね。

勉強だって変わりません。わたしは、ただただ、勉強に夢中になったのでした。

そんなある日のこと、いつものように満員電車のなかで勉強をしていました。すると、なんと満員電車のなかでカップラーメンを食べている人がいるではありませんか！

「えっ！　東京ってここまでやっていいの⁉」

もちろん、他人に迷惑をかけたらマナー違反でしょう。真似すべきとは決して思いません。とはいえ、電車が揺れるたびに足を踏ん張って、こぼさないようにする彼の熟練の技にはすごみがありました。周囲の人が彼に関心を示さずに、細く折りたたんだ新聞を読み続ける様子も衝撃でした。

東京という大都会は北海道とは比べられないほどに人が多いのです。だからこそ、個性的な人も多い。すると、そういう個性的な人に対する関心が反比例して下がる。

大都市は孤独ですが、自由でもあるのです。そういう都会で、わたしはより〝わたし〟になれた気がします。

そんな東京の人混みのなか、ひとりで勉強することは、とても心地いいものでした。

「知識偏重」で出題者の意図を想像する

高校で無我夢中になって勉強し、晴れて東大文一に入学できましたが、さすがは東大です。まわりは驚くほど、頭のよい人ばかりでした。そこで不安になったわたしは、大学に入ってからも懸命に勉強に取り組みます。そして、最終的には「オール優」の成績を取り、首席で卒業することに。

ただ、これはそれほどすごいことではありません。なぜなら、大学生は受験生のように真面目に勉強をしないからです。わたしのように、なにがあっても毎日欠かさず授業に出て、いちばん前の〝特等席〟に座り、先生の話を録音して何度も繰り返し聞くような学生はほぼ存在しません。言い換えれば、そのくらいの努力をすれば、誰だっていい成績は取れます。事実、わたしより地頭がいい学生なんていくらでもいました。

ひとりで教室のいちばん前に座って勉強している自分の姿が他人にどう映るのかを、わたしは気にしませんでした。「これが好きだから、とことんやる」と、どこかで開き直っていたのです。どうせ社会に出たら散々働かなければならないのだから、アルバイトなんて最低限でいい。両親も、「いまのあなたは勉強が仕事なのだから勉強しなさい」という考えでした。

もちろん、大学での勉強は受験勉強とはまったく異なります。いわゆる暗記ものではなく、自分の考えを論述させるものが、試験の大半を占めるのです。これは社会人の資格試験での論述でも同じですが、論述問題を解くポイントは「出題者の意図を想像すること」です。わたしはこれが得意でした。おそらく、子どものころからみんなのなかで自然にふるまうことが苦手だったからでしょう。「この人はいまわたしになにを求めているのだろう？」と、相手の意図を慎重に推測し、常に想像しながら過ごしてきた体験があるからです。

とはいっても、勉強の場合はただ想像しているだけではなにも浮かびません。論述問題を解くことは、出題者が「どんな正解を思い浮かべてその問題をつくったのか」を想像することに尽きます。そこで重要なのは、**ある程度の情報量があってはじめて、出題者の意図を想像できる**ということ。どんな問題でも、解答に至る道筋の候補が複数見えているからこそ、「出題者はここでなにを書かせたいのだろう」と、いろいろ検討ができるわけです。自分が持っている情報量が少ないのに、突然、答えがひらめくなんてことは、残念ながらわたしにはまったくありませんでした。

だからこそ、わたしは**「知識偏重」で勉強を積み重ねた**のです。よく勉強において、「頭が固い」「発想力がない」と悩む人がいます。これは実は、必要な情報量が足りていないだけの場合がとても多いものです。

たしかに、世の中にはひらめきの天才も存在します。しかし、それはあくまでも天才なのです。さらにいえば、そんな才能がなくても地道な勉強によって情報量を担保すれば、出題者の意図を想像することは十分に可能です。

ストーリーを意識して苦手をクリアする

小説を読み続けていたことも、わたしが論述問題を得意とする理由のひとつでしょう。小説とは、ストーリーです。

わたしは大学卒業後に財務省に入省し、その後、大手法律事務所に転職し、企業法務の仕事に携わりました。

その弁護士時代に、紛争当事者である企業に寄せられたクレームや告発文書の類にも目を通す機会がありました。なかには、いくら読んでも意味が汲み取れない文章も存在します。使われている単語は正しい。ひとつの文章単位ではおかしくない。しかし、全体としてはまったく意味がわからない。そうした文章の多くは、まとまりがありません。ストーリーとしてものごとを語っていないのです。いくら語彙があっても、文法が正しくても、そういう文章は読みにくいことこのうえないのです。

これは極端な例ですが、実は論述ができない人も似たような面があります。つまり、課題提起から結論に至るまでの流れがないわけです。

しかし、**小説を読み続けていると、自然とストーリーや文章の流れについての感覚**

を養うことができます。多少時間はかかるかもしれませんが、論述などが苦手な人は、いまからでも、小説をはじめ良質なストーリーに触れる機会を増やすことで、土台となる力を育むことができるはずです。

また、これは論述だけに限らず、一般的な勉強や記憶でも同じことがいえます。それこそ、**教科書でも参考書でも、わたしはすべてストーリーとして読んでいます**。もちろん、教科書は小説とはちがうので、自分自身をそのなかに投影して読むわけではありません。ただ、歴史にせよ生物にせよ判例にせよ、わたしはすべて物語としてとらえています。ストーリーとして読んでいくことで、流れとともに全体の内容を覚えやすくなります。そうすれば、自分の言葉でアウトプットもできるようになるでしょう。

記憶法といわれるものには独特の方法があり、語呂合わせや、映像と組み合わせて覚えるような方法もあります。その意味では、わたしの場合はすべてをストーリーとして覚えるということになるのでしょう。とにかく、ものごとを単独で覚えるのが苦手なので、「いい国[※2]（1192）つくろう鎌倉幕府」と覚えてもまったくイメージがわきません。そんな覚え方では、いつどういうきっかけによって武士の集団を「鎌倉幕府」と評価するようになったのかもわからないのです。

それよりは、「そのあと頼朝は征夷大将軍に任命されて、それから……」（※2）と、すべて時系列のストーリーにして何度もテキストを読み込むほうが、確実に応用力がつくとわたしは考えています。

※2　現在はほとんどの教科書で、鎌倉幕府成立は、源頼朝の征夷大将軍任命の1192年ではなく、源頼朝が守護・地頭職の任命権を得た1185年とされている

国語力があれば数学や物理にも対応できる

ただし、ストーリーで理解する勉強法にも欠点はあります。それは、ストーリーをつけにくい科目があること。人にもよりますが、わたしは、数学や物理にストーリー性を感じられず苦手としていました。

でも、数学に悪戦苦闘していた中学生のわたしに、ある日母はこんなことをいった

のです。

「数学は国語だからね」

小説好きの両親は、明らかに数学よりも国語が得意なタイプです。それなのに理系に進学しています。そんな母から「とにかく問題をちゃんと読みなさい」「なにを問われているかを理解しなさい」とアドバイスされたのです。そして、「最終的には解き方（解答に至る道筋）を覚えてしまいなさい」ともいわれました。

この言葉で吹っ切れたわたしは、とにかく問題文をしっかりと読み、ストーリーに惹きつけられるような分野に絞るようにしました。わたしにとっては、虚数や平面ベクトルよりも、確率のほうがストーリー性を感じます。ほかの分野はむしろ捨てて、この分野の取りこぼしをなくすこと。途中の計算式をきっちり書き（ここがストーリーにあたる部分かもしれません）、「たしかめ算」も忘れないようにする。そうして、とにかくわかる問題を1点たりとも落とさないようにしたのです。すると、東大の文系数学（数Ⅲや空間ベクトルなどは範囲外）に対応することができました。

試験勉強の王道は、「自分の得意なスキルを活かす」ことです。わたしは、子どものころから「読むこと（国語力）」が最大の武器でした。それをできる限り活かして、問題を正確に理解し、解答に至る過程を細大漏らさず記述すること。そうすることで、苦手な数学や理科もクリアできたのです。

得意なスキルは人それぞれです。ただし、**「国語力」は、あらゆる勉強の土台となる力なので、これを磨くことが確実によい結果につながる**と考えています。

挫折してわかった自分の弱み

そうして自分なりの勉強法を続けながら、大学4年生のときに国家公務員1種試験に合格したわたしは、ついに小学校5年生のときからの目標だった官僚の仕事に就くことができました。

しかし、受け入れてくれたのは外務省ではなく財務省でした。そう、外務省の試験に落ちたのです。

これは、わたしにとって大きな挫折でした。

そのとき、わたしは面接が苦手だという事実を明確に理解しました。わたしは「読むこと」がとても得意です。反面、「聞くこと」はおろそかにしてきたのかもしれない。問題文を読みながら、書き手の真意を探ることはできます。しかし、質問者の意図を理解して、臨機応変に返答する訓練を積んでこなかったのです。

ストーリーを読むことが得意なのに、相手の話を聞くことは苦手……。相手の話を聞いて答えるというコミュニケーションとなると、脈絡のない返答をしてしまったり、突拍子もない質問をしたりしていたのでしょう。さらに、もともと極度に緊張するタイプです。「よいことをいわなきゃ……」と焦ると、ますますトンチンカンな球を投げてしまったようです。

小学校の机に、「21」と書いた紙を貼ったときからずっと外務省を目指してがんばってきたので、これには相当落ち込みました。

「わたしは外務省に入れなかった……」

そう思うと、ぽろぽろと涙が止まらなくなりました。それまでは、努力によって自分の前に開かれた扉から飛び込んでいくことができた。なのに、ここまでぴしゃりと鼻先でドアを閉められた経験は初めてのことです。この拒絶体験から、「自分はやはり価値が低いのではないか……」とも感じました。

単にプライドが高いだけかもしれませんが、わたしは小さなことでものすごく傷ついてしまう性格です。だからこそ、傷つく機会を減らすためにたくさん勉強して、自分を守ってきた節もある。

「自分はどこか変なのではないか?」

そう思って生きてきたし、20代のすべてを通じて、とにかく自分のいびつさをなくしたいとずっと心のなかで葛藤してきました。

でも、そんなことはどだい無理な話。読むスキルが高い反面、聞く力は弱い。さらに緊張するといわないほうがいいことを口にしてしまう……。それはもう、わたしが生まれ持った性質です。ある程度は修正することができても、完全に消し去ることはできません。

実は、外務省に落ちたことは長いあいだ誰にもいえずにいました。最近になってようやく、それは自分の価値ではなく、向き不向きや合う合わないの問題だと受け入れられるようになりました。そうして受け入れて、はじめて口に出せるようになったのです。社会人になりたてのころの傷を何年もかけてようやく消化する――この切り替えの遅さには、ほとほと嫌気がさします。

仕事は「合う」「合わない」で選んでいい

外務省に落ちたわたしは、財務省に入省しました。これはあくまで個人的な感触ですが、財務省というのはわたしのような不器用な性格の人や、集団のなかで少し外れそうな人を引き入れることを好む、ある意味ではおおらかな組織だと感じました。

でも、そんな財務省に拾ってもらったものの、わたしは約2年で財務省を辞めます。わたしが得意とするノウハウと、組織が必要とする能力にずれがあると感じたのがその理由です。

「読む能力」を持つ人は重宝されます。ただし、もっと評価されるのは政治家の複雑な動きに目を配り、巧みに折衝する――つまり、コミュニケーション能力のある人でした。そして、そもそも面接すら苦手だったわたしにとっては、そんな能力は逆立ちしてもなかなか身につくものではありません。

さらに、わたしは決まったことは決まったとおりにやりたいタイプ。「今日やること」を自分できちんと用意し、それに集中してやり抜くことに適しています。それなのに、官僚の仕事は予測可能性が低いものなのです。政治家の動きひとつで、ずっと取り組んできた仕事があっけなく崩れ去ります。「砂場に思ったとおりのお城をつくりたい」。そんなふうに、なんでもコントロールしたいわたしにとって、自分のコントロールをはるかに超える大きな波に、何度も何度もお城を壊される状況は耐えがたいものでした。

そうしてストレスを溜めて働いていた財務省時代は、人生でも1、2を争うほどつらく大変な時期でした。上司はとても厳しく、ストレスでじんましんを出しながら働きました。なにより、建てかけのお城がもろくも崩される日々は、「前へ進んでいる感覚」を持てなかった。これが決定的でした。

そうして財務省を辞めたわたしは、ある大手法律事務所に勤めることにしました。しかし、その法律事務所も約6年後に辞めることになります。

弁護士のほうが「読む能力」を活かせる仕事でした。しかし、企業法務を中心に扱っていたため、ライバル企業の動向や、クライアント内部の派閥争いといった力学が働きます。コントロールできない方針変更によって、自分の努力が泡のように流れていく仕事という点は、財務省と同じでした。

仕事には、多かれ少なかれ不可抗力が働くものです。要は、どれだけそれに耐えられるかという問題だと思います。

わたしは、努力することは嫌いではありません。でも、地道な作業を遅くまでこなすことは、つらくても報われている感じがありました。自分の努力の結果が、抗いようのない力によって流されていくことに、わたしは耐えられませんでした。

ナイーヴ過ぎるとは思います。そうやって、財務省を辞め、法律事務所を辞めてきたのです。それでも、わたしは思います。仕事は「合う、合わない」で決めていい。「平気だ」「うまくふるまえている」と自分をだまし、ちがう誰かを演じ続けると心の奥に無理が溜まります。ものすごくうまくいっているように見えた人が、いきなり緊張の糸が切れたようにして辞めていく場面を、わたしは何度も目にしました。もちろん、わたしのように組織を辞め職業を変える必要は必ずしもありません。ですが、組織のなかで役割を変えてもらうとか、なにか無理のない道を探るべきだと思うのです。

自分の得意な土俵で戦う

自分の仕事や、それをとりまく環境にうまく適応できなかったとき、「自分が悪い」と思っているだけでは肉体的にも精神的にも疲弊します。

仕事だから、どうしたってプレッシャーはかかる。でも、**どんなに大変な状況でも自分なりの出口さえ見えていれば、ストレスばかりを溜めなくても済む**はずです。

そんな出口こそが、わたしにとってはまさに「勉強」でした。

勉強はひとりでやるものです。試験までに時間がないときには、逃げ場もなく追い詰められます。ですが、わたしはそうしたプレッシャーを「前へ進む力」に変えることができた。「やっぱり自分にとっては、勉強がいちばん面白いものだ」。あらためてそう感じたわたしは、ハーバード大学ロースクールへの留学を決めます。

当然ながら、ハーバードでの勉強は厳しいものでした。なにしろ、わたしは日本語ですら聞いたり話したりするのは苦手……。ましてや、当時は英語をほとんど話せませんでした。まず、授業での英語の議論の内容がわからない。そして、ランチのときにテーブルで交わされる友だち同士の会話のほうがもっとわからない。もはや、大学生のなかに小学生がひとり混ざったような感じです。リラックスしてサンドイッチをほおばるみんなとはちがって、わたしは緊張の連続でした。この瞬間に、「ねえ、マユはどう思う？　と聞かれたらどうしよう」。「まったく話を理解していない」とバレてしまうと冷や冷やしどおし。さらに、たとえ少し聞き取れたとして、それについていいたいことがあっても、自分の考えを英語で表現することはできない。仮に表現できても、発音がひどすぎて聞き取ってもらえない。この状況はわたしにとって強烈なストレスとなり、生まれてはじめて尿から血が出るほどつらい経験でした。

それでも、ギリギリのところでわたしを救ったのは、このつらい経験から抜け出す方法――つまり、出口を知っていることでした。

要するに、「じゃあ、もっと勉強すればいい」と思えたのです。

そこで、わたしはこれまでと同じように、自分の得意なことで戦うことに戦略を変えました。会話は絶対ついていけないのだから、とにかく一生懸命に教科書や資料を読み込んで、自分の考えを書くことにしたのです。発言できないのなら、レポートに書いて出せばいい。授業中にしたい質問もすべて先に書いておき、適切なタイミングで読みあげればいい。

そうして、わたしは誰も読まないような判例まで読み込み、とにかく情報をたくさんインプットして、レポート提出で高い評価を受けるようになりました。**どんなかたちであれ、「なにも考えていない人間ではない」ということを、しっかりアウトプットできればいいと考え方を変えた**のです。これはランチのときの雑談にも役立ちます。周囲から一目置いてもらうことができれば、わたしのつたない発音もなんとか聞き取ってあげようという雰囲気が生まれるからです。

どんな人でも、仕事や勉強でのプレッシャーはつらいものです。でも、強烈なプレッシャーやストレスを感じたときに、ぜひ自分自身でその根本的な原因を探ってほしい。**本当につらいのは、その仕事や勉強自体ではない。それまで築いてきた自分のノウハウに疑問を抱き、出口を見失うから**ではないでしょうか。

だからこそ、大きな壁にぶちあたったときに、立ち戻るべきはたったひとつ。

自分の得意な土俵で戦う。

無理をする必要も、背伸びする必要もありません。自然にうまくできることや、好きな方法で戦うことこそが重要なのです。そして、そんな土俵が用意されていないのなら、自分でそこに土俵をつくってでも、得意な方法で戦えばいい。わたしは、これが仕事や勉強の王道だと思います。

苦手なことで勝負しない。

でも、自分が得意な領域では1点たりとも落とさない。

そうすれば、余分なことに神経をすり減らすことなく、自分の能力を存分に発揮することができるはずです。

一生をかけて取り組むテーマを見つけよう

わたしは、いま東京大学大学院法学政治学研究科で、「家族」をテーマにアメリカ法について勉強しています。アカデミックの世界へ進むことを考えたのは、やはり「読んで書く」という方法論が自分にあっているし、単純にそれが好きだったからです。

そして、勉強し続ける世界に戻ってきたのは、わたしが**勉強というものに対して、ある種の畏敬の念のような感情を持っている**からかもしれません。

たとえば、官僚なら、国家に対し、心のどこかで畏敬の念を抱いているものです。国家に尽くすことが、自分の存在意義でもある。同じく弁護士たちのなかにも、法律に特別な感情を抱く人も存在します。もちろん、そういう気持ちがあるからこそ日常で安易に言葉にはしません。官僚や弁護士に限らず、誰もが自分の関わっているものに対し、神聖ななにかがあると信じているのではないでしょうか。

残念ながら、官僚や弁護士としてのわたしは、そのような「信仰」を抱くことはありませんでした。でも、「勉強そのもの」に対しては、どこか畏敬に似た気持ちがある。そして、それこそが自分の人生のゴールでもあると思うのです。

社会人になって仕事や生活に忙殺されていると、自分の人生のゴールが見えなくなってしまうこともあるでしょう。でも、そんなときこそ勇気を出して立ち止まり、自分にとって大きな価値があるものを、しっかりと見据えることが大切だとわたしは実体験から学びました。

目の前の目標にとらわれ過ぎるのではなく、少し長い時間をかけて、あるいは一生をかけて取り組もうと思える自分だけのテーマを見つけること。たとえモヤモヤとした思いに過ぎなくても、時間をかけて向き合い続けることで、それは少しずつ自分だけの美しいかたちへと変わっていくかもしれません。

そんな道程にこそ学ぶよろこびがあり、**単なる「役に立つ、立たない」を超えた、自分にとって本当に価値がある「勉強」になっていく**のだと思います。

勉強を通じて自分の〝本質〟に向かう

アメリカ法の勉強を通じて、家族をむかしと同じ枠組みでとらえることがむずかしくなっていると気づきました。家族の輪郭が、まるでアメーバのようにどんどん曖昧になっているからです。でも、曖昧になっているからこそ、家族の本質が見えやすくなっていると考えることもできる。あるいは、考える必要があるはずだ、と。

法というものは制度なので、そんな曖昧な状況に客観的な線を引いて判断していきます。端的にいうと、日本をはじめ「大陸法」[※3]の世界では、はじめから家族の条件を整理し、それにあてはまらなければ「家族とはいえない」と考えます。そのほうが明確だからです。

でも、アメリカ法の世界は、アメーバを整理しようとしません。ひとつの事例で、これが家族かどうかを判断する。別の事例では、別の判断をする。そうやって「この事例はどうだろう?」「あの事例はどうだろう?」と、コツコツと判断を積み重ねていきます。つまり、彼らは個別の事例ごとに線を引き続けていくのです。すると、その線がちょっと広過ぎたり、逆に狭過ぎたりすることがある。ときに、極端な判断も出ます。

それぞれの判断は「点」に過ぎません。それでも、そうした事例判断がいくつも積み重なる。そのうち点々が「集合体」になっていくと、そこに全体としてのかたちが生まれてきます。ドットで絵を描いていき、そのドットが増えるほど遠くから見るとなんらかの輪郭が浮かび上がってくることはありますよね。そして、そこにこそ家族の本質が立ち現れてくるのです。


このように延々と読んでいくと、判例というものはすべて「ストーリー」であることに気づかされます。つまりこれは家族の物語なのです。そんな一つひとつのファミリーストーリーが積み重なり、全体としてさらに大きな人間の物語を構築していく。そんなふうに思えてきます。

もちろん、アメリカには極端な面があり、その知見を文化の土壌も宗教観もまったくちがう日本社会に、そのままあてはめることはできないでしょう。ただ、アメリカにおいて現在進行形で紡がれている家族の物語は、日本人のわたしたちにもなんらかの示唆を与えるにちがいないと考えています。

「ふつうのことがふつうにできない」。そんな疑念が常にわたしのなかにありました。事実、ふつうなんてものは本当はどこにもないのでしょう。でも、「わたしはふつうではない」と思うことで、コンプレックスを抱くと同時に、どこか得意な気持ちもあったのかもしれません。

36歳なら、結婚しているのがふつうなんじゃないか？　結婚して子どもを産んでというのがふつうなんじゃないか？　そういう価値観の押しつけをいやがる一方で、そういう価値観にこだわっているのは、むしろわたし自身かもしれないのです。

その意味では、世の中のふつうに向き合う研究を、わたしはいましているのかもしれません。「ふつうの家族ってなに？」「ふつうの結婚ってなに？」「ふつうの親ってなに？」とばかりに。

かつて雅子さまに強くあこがれたわたしは、国の仕組みをつくるために働きたいと考えていました。ただ、いろいろと経験したいま、わたしは「国家」のような高く遠くにある大きな問題に挑むよりも、もっとちがったことがしたいと思うようになりました。

それよりも、**勉強を積み重ねることで「自分自身」に向かって降りていきたい**。

そうして、自分のなかできちんとしたかたちで考えを整理できたなら、ようやく社会に対して、なんらかの意義のある意見を提示できるのではないかと考えています。

※3　大陸法
ドイツ、フランスなどを中心とするヨーロッパ大陸諸国の法。ローマ法の流れを汲み、背景に近代自然法思想がある。成文法主義（法典化）が特徴

中野信子

「脳がよろこぶ学びの技術」

【実践編】

勉強ができるようになりたければ、
なにより勉強を
好きにならなければなりません。
でも、いったいどうやって？
脳科学の観点から
理にかなった方法があります

「義務としての学び」と「よろこびとしての学び」

わたしは、「学び」にはふたつのかたちがあると考えています。

まずひとつは、なにかをできるようになるために避けることができない、基礎的なスキルを身につけるための「義務としての学び」。そしてもうひとつは、その上に積みあげていく「よろこびとしての学び」です。

わたしは学生時代、「よろこびとしての学びだけをやる」と心に決めました。大学は工学部に進みましたが、自分の分野とはまったく関係のない授業も進んで受けたのです。たとえば、「空間芸術論」や「比較文化論」といったように、自分の幅広い興味をベースに、文字通り食い散らかすように勉強しまくりました。そこには、高校までの受験勉強とはまったく別物の知的興奮があったのです。

もちろん、大学に入学するまでは「義務としての学び」を続けていたわけです。いかに労力をかけることなく、必要な箇所の勉強に集中するか——。これは、受験勉強の定石です。とにかくできなかった箇所は何度も繰り返し、最終的にできるようにしておくことを意識していました。もちろん、絶対に出るとされる問題に関しては1点たりとも落とさないように頭に叩き込みます。そんなスタイルの勉強をどれだけ積み上げられるかが、受験のポイントだからです。

これは社会人が勉強するときも同じことで、やはり**学びとは、「義務」と「よろこび」の二層構造になっています**。語学ならば、まず基本的な文法は絶対に理解する必要があるでしょう。また、知っておくべき単語やフレーズなど、必須とされる基礎知識もある。そうした知識は、まるで筋トレのように積み重ねる部分です。

でも、当然ながら、語学を学ぶことはそのような勉強にとどまるものではありませんよね。義務としての学びがある程度できれば、そこからは楽しい「よろこびとしての学び」が待っています。言葉が通じないと思っていた相手を笑わせられたときや、異文化の人が持つ価値観や思考に触れて新しい発見をしたとき……。そんな体験を通して得られる学びこそが、人間にとって大きなよろこびとなるのです。

しかし、世の中には勉強を途中で嫌いになってしまったり、学ぶことをつらく感じていたりする人がたくさんいます。それはおそらく、「義務としての学び」の比重が大きくなり過ぎているのです。そして、学ぶことの楽しさにたどり着いていないため、勉強がいつまでもつらく退屈なものになってしまうのだと推測できます。

わたしはスポーツが苦手ですが、そもそも筋力トレーニングというもの自体が嫌いでした。たしかに筋トレはすべてのスポーツの基礎になるものです。でも、筋トレは単純に退屈だった。それよりも、さっさとみんなでスポーツをしたほうが楽しくないでしょうか？　それが楽しさであり、よろこびだと思うのです。

ただ、スポーツをするなら「筋力があったほうがダイナミックなプレーができたりスピードが出せたりして、より楽しむことができる」ということは忘れてはなりません。そうした基礎的な訓練は、およそスキルが必要とされるものごとすべてにあてはまるでしょう。

勉強に置き換えるなら、**「義務としての学び」を積み重ねて、基礎的な力やスキルをある程度身につけなければ、いつまで経っても「よろこびとしての学び」に到達できない**ということになります。その結果、勉強に飽きてしまったり嫌になったりして、半ばで挫折することになるのです。

人間とは、「新しい学び」を求める生き物

勉強するときは、まずその分野の基礎的な知識をしっかり押さえることが大切になります。まず、「義務としての学び」をある程度の期間続けることは避けられません。

気をつけたいのは、「義務としての学び」は、ある程度短期間に集中的に取り組むこと。具体的な方法はのちに書きますが、ともかく勉強は「やらされている」と感じてしまうと絶対にうまくいきません。

脳科学の観点では、人間はそもそも「学ばないこと」がストレスになる生き物です。我々人類は、はるかむかしに獲物が豊富なアフリカ大陸を出て、少しずつ北上しユーラシア大陸へと広がっていきました。これには様々な理由が考えられますが、そもそも人間はずっと同じ環境にとどまることに耐えられない、本質的に「学びを求める生き物」だと見ることができます。

同じく、現代に生きるわたしたちも、日常生活でずっと同じことを繰り返していると嫌な気持ちになったり、いままでとはちがう天地を求めて転職や移住を試みたりします。そのような行為もまた、より広い意味でいえば新しい学びを求めているのです。

かつて、人類がアフリカ大陸を出てユーラシア大陸を目指したように。

ただ、それが自分から求めた新しさではなく、人から与えられたり、強制されたりした新しさだと、自分の気持ちとずれて嫌になってしまう。そして、その先にある「よろこびとしての学び」に到達できなくなります。

本来は、こうした勉強に臨むうえで前提となる姿勢や考え方と、その先にある楽しさやよろこびについて小学校の段階からしっかり伝えるべきですが、教育システムとしてうまく機能していない現状があるのかもしれません。

こうしたことを書くと、受験業界をはじめ、既存の教育システムのなかにいる人たちから「義務として学びを続けることにこそ意味がある」という意見が寄せられます。基礎固めをひたすら続けることで、いわゆる「やり抜く力」が養われ、より多くの可能性も見えやすくなるという主旨ですが、本心としては、とにかく偏差値を上げればいい大学に入れるということなのでしょう。そして、いい大学を卒業すれば、仕事を自分で選択できる環境をつくることができるはずだ、と。

しかし、わたしはそれとは異なる意見を持っています。たしかに、そのような思考のパラダイムでやっていける社会が、１９９０年代半ばくらいまではありました。もちろん、それは現在でも根強く残っていますが、同時にどんどん崩壊しつつあると感じるのです。

たとえば、がんばって入った大企業があっさりと倒産したり、整理統合されたり、外資系企業の子会社になったりすることが、もはやあたりまえの出来事になっています。また、いまキャリア官僚の合格者数に占める東大出身率は約17%（２０１９年度人事院の調査）で、２０１０年度の32・5%（２０１１年度同院調査）の約半分とかなり減っています。つまり、偏差値の高い大学に入って、国家試験を通過して官僚になることが「得ではない」と思われているわけです。

そんな世の中の流れを鑑みると、わたしは基礎学力が大事だという点にはもちろん同意しますが、はたして受験や試験勉強に打ち込んで学歴や資格を得たからといって、それで安泰とはいえないと感じるのです。

そうではなく、**自分で自分を「よろこびとしての学び」に到達させる力こそが、これからの社会を「生き延びて」いくうえで問われている**のではないでしょうか。

受験合格や資格取得での成功が人生の選択肢を広げる面はたしかにありますが、いまのように社会全体が遷移期にあるときは、それだけではさほど有効な手段でもないと思います。

自分で学び、自分のものにする力が必要

そんなときに大切になってくるのは、もっと広範な知性です。

わたしが大学院のときに得た学位は、正確にはPh.D.、つまり医学領域の「Doctor of Philosophy（学術博士）」となります。哲学を意味するギリシャ語のphilosophiaは、もともと「知恵を愛する」という意味で、そこから名づけられたこの学位は、ただ特定の領域の知性を証明するものではなく、このような力を認定するものです。

どんな課題に対しても自分で学び、自分のものにすることができる力。

つまり、自分の専門外の領域や未知の分野の勉強をしたとしても、その領域で「自

分なりの発見をすることができる力がある」ことを認める学位なのです。わたしは、これが本来の知性というものではないかと考えています。

もちろん、だからこそPh.D.を取るべきだといっているのではありません。むしろ、わたしがいいたいのはまったく逆で、大学にいっていなくても、この学びの原則を知っている人は、時代に翻弄されることなく「どこでも生きていける」と思っています。そのような知を鍛えるということを、本来は勉強していくなかで培うべきではないでしょうか。

より簡潔にいえば、**「知を得ること」と「知の運用」がある**ということです。

そして、前者の知のデータベースを蓄積していく営みは、もはやコンピューターには絶対にかないません。すると、それらは人間がやっても大きな意味がなくなっていくと考えられます。

たしかに、知識を得ることにも楽しい面はありますが、**得た知識を活用し、自分で考え、自分のものにしていける力を、いわば〝知能の骨格〟のようなものをつくるべき**なのではないかと思います。

記憶における長期増強

学びを通じて本来得るべき力を確認したところで、ここからは実際に勉強をするうえでの効果的な方法を具体的に紹介します。

まず、「学習」という行為をどの階層・領域からとらえるかにもよりますが、脳科学から見た場合、神経細胞レベルではどんなことが起こっているのでしょうか。

人間は**学習すると、神経細胞（ニューロン）同士がシナプス（ニューロン間の接合部位）を介して連絡のやり取り（信号の伝達）をしますが、その連絡の取り合い方は長期間にわたって増強されていきます**。たとえるなら、道幅3メートルの道路が、長期にわたるやり取りによって、道幅30メートルの幹線道路になっていくようなイメージです。

つまり、最初は少ししかやり取りをしていなかったものが、やり取りが次第に大きくなってシナプスが増強されたとき、学習が行われたと解釈します。そして、その「長期増強」[※4]によって、記憶が脳回路に保存されることがわかっています。

脳内で記憶に関与する領域は、「海馬」という部分です。よく海馬を記憶そのものと思っている人もいますが、そうではなく、海馬で生成された記憶は脳のいろいろな場所に保管されるため、海馬は「記憶の入り口」であると考えてください。

たとえば、お酒を飲み過ぎて酔っぱらった人が、一時的に記憶をなくすことがありますよね。自分がどんな店で飲んだのか、いったいなにを飲んだのかまったく忘れてしまっているような状態です。でも不思議なことに、ひとりでタクシーに乗ってきちんと家まで帰ってきたことに翌朝気づくことになります。はたしてどんな現象が起きているのでしょうか？

まず、このようなとき、海馬の働きは止まっていて記憶を生成していません。しかし、大脳皮質で運動に特異的に関係している領域である「運動野」で、自分の来た道やいつも通る道を覚えている「ナビゲーションニューロン」と呼ばれる神経細胞が活動しているため、自分の家にちゃんと帰れるということが起きるのです。

要するに、**記憶の入り口が止まっていても、これまで長期にわたって繰り返してきた記憶は簡単には失われない**ということ。このような現象を、わたしたちはときに「体が覚えている」と表現します。

※4　長期増強
LTP（Long-term potentiation）とも呼ばれる。長期にわたりニューロンからニューロンへ信号が伝達しやすくなる現象。シナプスが示す可塑性の一種で、記憶の素過程（複雑な化学反応を構成する一つひとつの基本的な反応）と考えられている

「自分ごと」にすれば忘れにくい

さて、このようなメカニズムを実際の勉強に活かすには、「エピソード記憶」を活用することがひとつの方法になります。

一般的に、わたしたちが勉強のなかでなにかを記憶するとき、教科書なり単語帳なりをそのまま一語一句「覚えよう」とします。これが、多くの人が持っている記憶のイメージだと思います。

でも、わたしの覚え方は、子どものころからみんなとは少しちがっていました。どのように覚えていたかというと、**勉強する内容やテーマに対して、まるでその世界のなかに〝入り込む〟イメージで覚えていた**のです。

歴史などはわかりやすいのですが、たとえば「本能寺の変」について覚えたいなら、

まるで自分が明智光秀になったような気持ちで教科書を読むのです。その人物になりきり、その世界に入り込む――。すると、不思議なことにその事項をよく覚えることができ、忘れることが少ないことに気づいたのです。

ほかにも、これが地理なら、自分がまるで漫画「ゴルゴ13」の主人公・デューク東郷になったつもりでいろいろな国へ飛び回っていく。「この国にはこんな要人がいて、経済構造はこうで、産業はこれが主要だから、この企業の存在が重要である……」というふうにイメージできると、ただ統計グラフを見て暗記するよりもずっと楽しく、深く覚えられるわけです。

この方法は、一見ストーリーが想像しづらいように思われる化学などの科目にも使えます。それこそ分子の気持ちになって想像してみるのです。たとえば、少し専門的になりますが、「ファンデルワールス力[※5]」という作用について覚えるなら、自分が分子になった気持ちで、「手をつなぐわけじゃなくても、お互いに好きだから近くにいようね」とイメージして覚えるわけです。

ポイントは、**「自分ごと化」すること**。

こうして覚えたことを、一般的に「エピソード記憶」と呼びます。

記憶には「長期記憶」と「短期記憶」があり、エピソード記憶は長期記憶にあたります。**長期記憶は「陳述記憶」と「非陳述記憶」に分かれますが、「陳述記憶」のなかに、「意味記憶」とこのエピソード記憶がある**のです。

前者の意味記憶はいわゆる「暗記」のことで、多くの人は勉強するときにこの意味記憶で覚えようとします。でも、悩ましいことに、意味記憶は手っ取り早いですが脱落しやすいという特徴がある。いくら勉強しても忘れてしまうと悩む人は多いですが、意味記憶で覚えている限り、これは至極当

● 記憶の分類

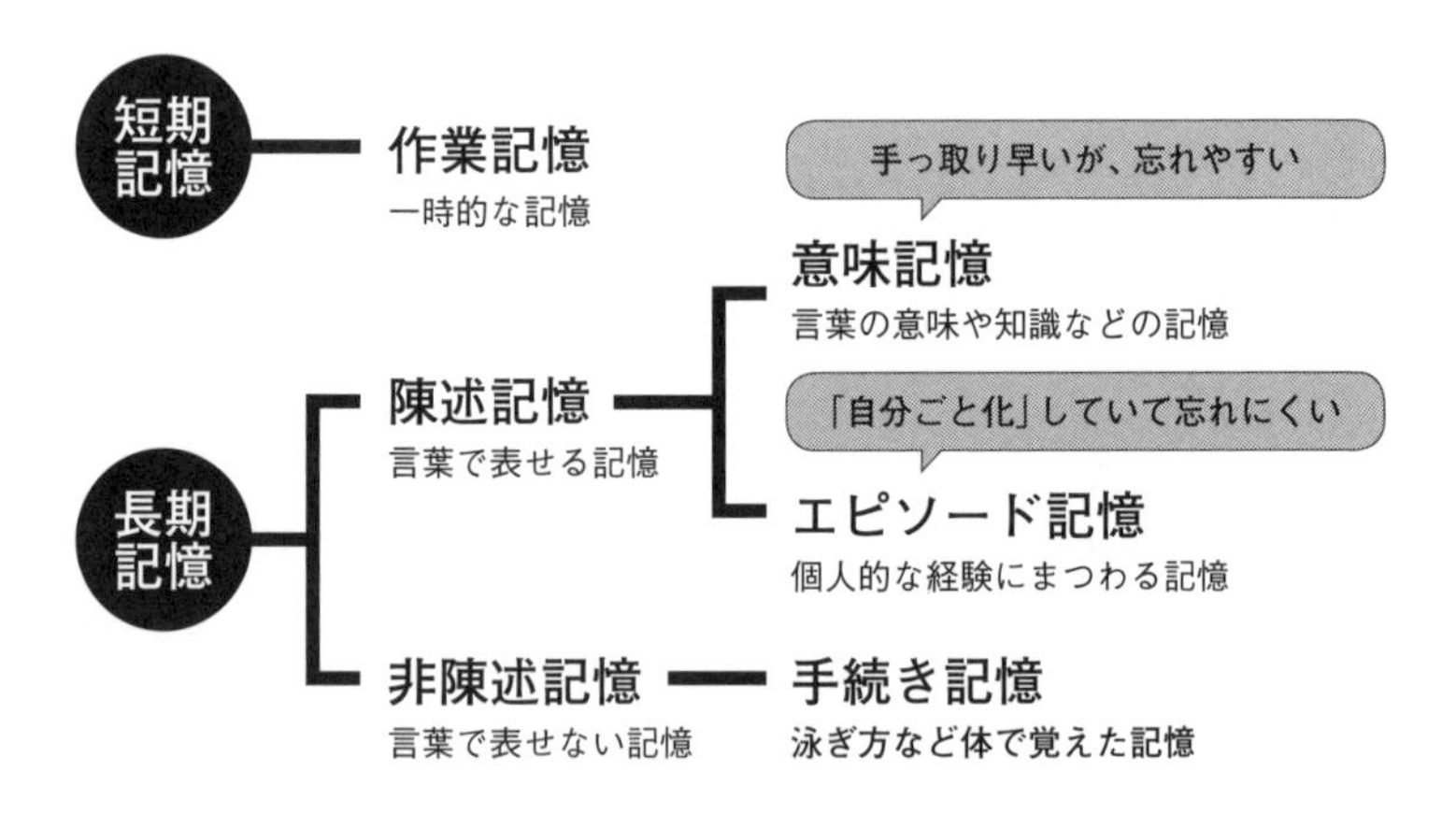

然のことなのです。

一方、エピソード記憶は定着しやすい記憶です。**自分の身に実際に起こったことや、「自分ごと化」した記憶は、人はなかなか忘れないもの**なのです。そして、わたしは勉強していくなかで、そんな覚え方を意図せず行っていたので、のちにみんながそうして覚えていないことを知ったときは、「え、じゃあみんなはどうやって覚えているの？」と驚きました。

エピソード記憶は、いわば自分で「疑似体験」するようなイメージです。

多くの人は、教科書の内容はすぐ忘れても、自分の身に起きた出来事はめったに忘れません。それと同じようなインパクトを記憶に残すために、**本や教科書を読むときはそこに書かれている人やものの気持ちになって、その世界に入り込みながら読んでみる**。そうすることで、むしろ忘れるのがむずかしくなるくらい覚えられるというわけです。

この手法は、もちろん勉強以外にも有効です。たとえば、仕事で重要な会議やプレゼンテーションがあるなら、前日までにその相手や聴衆と話している想像の世界に入り込み、「これを聞いたらどんな反応をするだろう？」「こんなことを思うのではないかな？」などと、想定できるシーンを前もってイメージしておきます。すると、当日は相手の話をよりスムーズに理解できたり、良質なコミュニケーションができたりしやすくなるのです。

これは記憶のテクニックであり、そうした覚え方の癖をつけることができれば、戦略的なプロセスとして活用できます。もちろん、こうした覚え方が不得手な人もいると思いますが、それほどむずかしいことではありません。ただ、感情や気持ちを使うことに慣れていなかったり、恥ずかしくなったりするくらいで、続けていればできるようになります。

よく語学を習得するには、外国人のパートナーを見つければいいといわれます。あれはまさに気持ちと気持ちが強く結びつくから覚えられるわけで、外国人と付き合えば誰でも自然に言葉が覚えられるという意味ではありません。海外へ留学しても、たいして外国語を話せない人はたくさんいますよね。

わたしの場合、法律や経済については少し苦手で、どうしても気持ちが入り切れないことがありました。でも法律であれば、たとえば法的な保護が必要な状況に自分が置かれることなどをイメージして、「この状況ならどうすれば自分を守れるのだろう?」などと入り込めていれば、もっと得意になれたのかもしれません。思えば、弁護士や医師になる人のなかには、幼いころに自分自身が法的行為や医療行為を必要とした経験を持つ人も多いものです。「自分がしてもらったように治してあげたい」「わたしがなんとか助けてあげたい」と思って目指す人がたくさんいます。

そんなことからも、エピソード記憶は人生そのものに大きな影響を与えるほど強い記憶にもなり得るのです。

※5 ファンデルワールス力
分子と分子のあいだに働く弱い引力。この力のために分子性の結晶ができたり、分子が液体になったりする。分子間力の一種

学んだことを頭のなかで再構築する

ここまで書いたエピソード記憶を活用すれば、わたしは受験レベルなら十分に乗り

切れると考えています。正直なところ、効果的な記憶法として学生時代に、そのメカニズムを先生に詳細に教えてもらいたかったほどです。

でも、残念ながら多くの学校では、ただ「覚えろ」「復習せよ」「反復せよ」といわれるだけのことがとても多いようです。すると、どうなるか？

勉強が苦痛になります。

そもそも、人間の脳はそんな他人からの命令に抵抗するようにできています。自分の意志で考えたことではないことへの疑いがあるし、「この知識は本当に正しいだろうか？」と本当に無意味で余計な負荷がかかるのです。ですから、かつて親や先生から「勉強しなさい」といわれたときに、あまり勉強できなかったとしても、それをコンプレックスだと感じる必要はありません。なぜなら、ただ機械的に覚えることや復習などを繰り返すことに興味を持てず、自分にとって楽しくなかっただけだからです。

興味のないことは覚えられないし、もっといえば、自分がつまらないと思うようなことを覚えても意味はありません。繰り返しますが、**大切なのは「よろこびとしての**

学び」なのです。ここにこそ、学びの本質があります。

しかし、多くの人がやっているのは、「意味記憶」で覚えるような勉強に過ぎません。たとえば、板書をきれいに写しとったり、教科書やノートにきれいにラインを引いてまとめたりして暗記するわけですが、実はこれほど非効率な方法はないのです。

もちろん、ノートをていねいにつくるスタイルが合っている人もいることを知ったうえであえて書くと、このような勉強法には罠があります。それは、「満足感」だけが高まってしまうということ。要は、「勉強した気」になってしまうのです。でも、きれいなノートをつくったその満足感のわりに、内容は覚えられていないことが多いのです。

厳しい言い方かもしれませんが、板書をきれいに写しても、内容を覚えていなければなんの役にも立ちません。のちに、ノートをボロボロになるまで熱心に見返すならともかく、ノートに写し取るだけで記憶に定着させることができる人は稀でしょう。そうであれば、板書はスマートフォン撮影で済ませてもいいではありませんか。

大切なのは、学んだ内容をノート上ではなく、**自分の「頭のなか」で有機的に構築**

できるかどうかです。頭のなかで「エピソード記憶」化された事項が、有機的に結びついているかどうかがすべてなのです。これができていると、ものごとの理解力を問う論述問題や応用問題に対応できることにつながっていきます。

ちなみに、わたしの学生時代のノートはかなり雑でした。ノートというよりも裏紙を使うことすらあり、先生が教科書に書いていないことや、重要なことを話していると感じたときだけそれに記録しました。すでに教科書に書いてあることや、テストに出ない先生の個人的な見解を写しても意味がないと思ったからです。

そして、帰宅してから、自分だけが見るためのノートをつくるのです。これもていねいにつくるというより、「1日の振り返り」をするような意味合いのものです。今日やったことを自分なりにまとめて、頭のなかで結びつける作業を、中学高校を通してずっと続けていました。

その意味では真面目に勉強していたともいえるわけですが、みんながやる方法とはかなり異なったものだったはずです。いわば、学んだことを「自分ごと化」することに注力していたのだと思います。

勉強する前に必ず「地図」をつくる

すでにお気づきの方もいると思いますが、先生が教える内容や板書の重要度を自分なりに判断するには、あらかじめ「教科書をすべて読んでおく」必要があります。先に学ぶべき内容を知っているからこそ、「これは単なる雑学である」「これは繰り返しだ」などとわかるからです。そこでわたしは、**教科書を学校から受け取ったら、授業を受ける前にすべて読むようにしていました**。

ただ、これはなにも特別なことではなく、勉強を効率的に進めるための王道であり、あらゆる試験勉強におすすめできる方法です。もしあなたが社会人で、なんらかの試験を受けるとするならば、まずやるべきは、その試験範囲全体を網羅したテキストを勉強する前にいちどすべて読んでおくことです。意味するのはこういうことです。

勉強する前に、まず「地図」をつくる。

つまり、実際に勉強する前に、学ぶべき内容・項目を先に把握しておく。すると、

「○月まではこの項目に集中してもいい」「来年までにここまで到達できればいい」というように、おおまかなスケジュールと学ぶべき骨格を摑むことができ、気持ちを楽にして勉強を続けることができるのです。

これはプライベートの旅行にあてはめて考えても同じこと。行き先になにがあるのかわからなければ、とても不安になりますよね？　落ち着いた心で旅行を楽しむことができず、「次の旅程をどうするか……」という思考で頭がいっぱいになって、気づけば旅行が終わってしまっていた、なんてことにもなりかねません。

あたりまえですが、試験勉強は冒険ではないので、行きあたりばったりではうまくいく確率は極めて低くなるでしょう。でも、**勉強する前にその行程がある程度頭に入っていれば、行く先々で安心して確実に先へと進むことができます。**

先に薄めのテキストを読み通して全体像を摑む

もう少し具体的な例をあげましょう。たとえば英語の勉強なら、市販されている文法のテキストの目次をまず見てください。そこに書かれているのは、その語学についいてのおおまかな「やるべきこと」です。それをそのまま「地図」として使用するのです。

やり方としては、まず心理的ハードルが低い薄めの文法書を購入し、それを最初に読んでしまいます。文法書にはそれぞれレベルの差こそあれ、まっとうな文法書であれば、文型、動詞、時制、助動詞、不定詞、分詞……という具合に、英語の文法において学ぶべき内容が記されているはずです。薄めの文法書は説明の密度こそ低いものの、それぞれ学ぶべき項目は押さえられているはず。そこで、3週間ほどで読み終えることができるものを選べば、その言語のある程度の骨格が、3週間後には見えてくるでしょう。

そして、学ぶべき骨格を先に把握できれば、あとはその骨格のまわりに「身（知識）」をつけていく作業を、時間をかけてじっくりやっていけばいい。

ほかの勉強でも同じように、まず**テキストの目次を見て、自分なりの大まかなロードマップのようなものをつくってみましょう。そうしていったん学ぶべき全容を把握したあとで知識を肉づけしていくと、勉強が進むごとに頭のなかで知識が有機的に結びついていく**のです。

知識というものは必ずしも階段状に積み上がっているわけではなく、4次元的に広がっているものです。一般的にはのちに学ぶこととされている項目でも、その内容を事前にテキストを読んで知っていると、その項目より前に学ぶほかの項目の理解度が上がったり、深まったりすることはたくさんあります。

つまり、**先に地図をつくってしまえば、いま学んでいる項目とほかの項目のつながりに気づいたり、学ぶ項目がばらばらになったりせずに、全体をひとつのストーリーとしてとらえることができて理解が進んでいく**のです。

テキストを前から順番に真面目に進めていても、行き先が見えないことで「終わりが見えないものをいったいどこまでやればいいの？」と息苦しくなってしまうし、やがて「早く終わってほしい」と願うようにすらなりがちです。そうして、勉強がつまらなくなってしまうのです。加えて、勉強の途中で試験日が近づいてきてしまったとしたら、テキストの後半が駆け足になって、中途半端な理解でぶっつけ本番……なんていうことも起こり得ます。

心理的にも、段取り的にも、最初に学ぶべき内容が記されたテキストを短期間ですべて読み通し、その科目について学ぶべき内容・全体像を把握する（地図をつくってしまう）やり方はとても効率がよいのです。

「どの知識とどの知識がつながっているのか」「なにが重要でなにが余談なのか」を判断する目が養われることで、知識を有機的に理解することができ、かつ無駄な勉強をする必要もなくなるでしょう。

勉強を好きになるということ

このように、**まず全体像を把握し、エピソード記憶をフル活用しながら頭のなかで有機的に知識をつなげていくことを、わたしはずっと楽しんできました**。なぜその行為が楽しいのか？　それは、おそらく自分の世界が広がっていくことに、純粋なよろこびがあったからだと思います。

わたしは、いったんその世界に入ってしまうとあまりに深く潜ってしまい、現実の世界へ上がってこられなくなるようなこともよくありました。もともとエネルギーが少ない体質なのに、勉強にとことん没入して休憩するのも忘れてしまうのです。そうして急に疲弊して、バタッと倒れてしまうこともしばしばでした。

そのくらい勉強が楽しかったのです。

わたしは、いま東京藝術大学大学院の長谷川祐子先生の研究室へ通っており、課程の講義として、絵画修復や西洋建築の淵源としてのローマ建築史の授業に参加することもありますが、これがもう本当に面白い！

もし、ただふつうに単体の建築物について学ぶだけだったら、それほど面白さを感じなかったかもしれない。でも、わたしは先に漫画「テルマエ・ロマエ」を読んでから授業を受けているので、これはもうものすごく面白いわけです。たとえば、古代ローマ建築の「ヴィッラ・アドリアーナ」[※6]について勉強しているときも、ただ建築様式などの知識を学ぶだけではなく、「皇帝の愛人だったアンティノウス[※7]もここにいたのかな？　こんな人だったのかな？」と、そこで躍動した人物たちが浮かんでイメージが限りなくふくらんでいき、心は約2000年前に飛んでいく——。

このように、エピソード記憶や、学んでいる世界に入り込む力などを使いながら、学んでいることをどのように好きになっていくかはとても大切なこと。結局のところ、自分が好きなものは覚えられるし、そうしたほうが自分にとっても自然な行為になるし、効率もいちばんよいのです。

より端的にいえば、こういうことです。

勉強ができるようになりたければ、勉強を好きになることが最適解。

わたしの場合は、やはりその世界に入り込んで、自分自身と置き換えてみたりしながら、そのなかでの勉強を楽しんでいました。知識が増えていくよろこびを感じる方法がベースだったので、自然と内容を覚えることができ、また記憶も脱落しにくかったのだと思います。

※6　ヴィッラ・アドリアーナ
2世紀に建造されたローマ皇帝ハドリアヌスの別荘。ギリシャの風景やエジプトの神殿を模した庭園・建物が遺る。1999年に世界遺産に登録

※7　アンティノウス
皇帝ハドリアヌスが寵愛した男性。若くして溺死したのちに皇帝によって神格化され、数々の芸術作品（立像・胸像など）として遺されている

習慣化よりも「好き」を追求する

「勉強を好きになるなんてできないよ」

そんな人もいるかもしれません。たしかに、ただ勉強を習慣化しようとしてもむずかしいし、世の中に習慣についての本がたくさん出ているということは、習慣化に失敗する人がとても多いことの裏返しだと思います。

よく「3週間続けられたら習慣になる」などといわれますが、たとえ3週間がんばっても、それ以降もずっと続けていくのは容易ではないでしょう。3週間を越えてくると、逆に想定外の出来事が起きてくるだろうし、どこか気持ちも緩んでくるかもしれません。がんばって「やろう!」と思っているうちはなかなか続かないもので、苦行のように続けて体のクセにしていくのは戦略としてはありですが、もともとの資質に左右される方法のような気もします。

それよりもわたしは、**「ついやってしまう」ようにするしかない**と考えています。

「お酒を飲んだあとついラーメンを食べちゃうんだよね……」というような感じで、つい勉強するのです。

「やめよう」と決心したのに、「今日くらいいいよね」「特別な日だし」といいながら、ついやってしまうことがありますよね？　これこそが習慣です。では、本当にやめたいと思っているのに、やめられないのはなぜでしょうか？

それは、**好きで好きで仕方ないから**。

同じように、勉強が好きな人というのは、勉強をやめたくてもやめられないのです。「いい加減に勉強をやめて少しは遊びなさい」といわれても、こっそり隠れて本を読んでしまったりする。実は、東大には、「いい加減勉強をやめなさい」と怒られたことがある人がわたしのほかにもけっこういると聞いたことがあります。

習慣化とはそういうものです。ゲームをずっとやっていたら、それが長じて仕事になったり、プログラミングにのめり込んでいたら、まわりから天才プログラマーといわれるほどになったり。結局のところ、「好き」なのでしょう。

なにかを続けていくこと自体に満足を感じるならそれでいいのですが、そうでない人は、**「習慣化しよう！」とがんばるよりも、自分の「好き」の秘密を探っていくほ**

うが早道ではないでしょうか。

そして、勉強を無理に好きになる必要はありませんが、頭から「勉強は嫌だ」と拒絶するのももったいないことです。なぜなら、**勉強のなかにはあなたの強い関心を引く領域もきっとあるはず**だから。

要するに、**どんなことも「楽しんだもの勝ち」**なのです。

「考える」ことで知的空間の領土を増やす

わたしが**「学ぶよろこび」**を**感じているときは、自分の心のなかに知的空間があり、その空間を広げていくようなイメージがあります**。自分の領土が増えていくとでもいうのでしょうか。別に戦争や競争をして領土を増やすわけではなく、単に自分で開拓することでどんどん自分だけの領土が増えていく感じです。

そして、その過程で**拡大していた領土が遠くにある別の領土とつながっていることを発見すると、さらに楽しくなっていく**。つまり、知的空間そのものに4次元的な広がりがあるわけです。

このような種類の学びは、別に資格取得やキャリアアップに直結するわけではないので、「結局のところ、なんの役に立つの?」と問われると説明しづらいものです。「役に立たないから楽しみなのだ」ともいえます。しかし、多様な人たちとコミュニケーションするときに、その知的空間の広さはかなり活きてきます。

たとえば、仕事やプライベートで、ほかの人とは異なる角度から考えを述べたり、特定分野の知識だけでは考えつかないような意見を提示できたりします。そのような**教養の厚みというものは、まさに「知的空間の広さ」**でしょう。

ただ、いまは問題の解決策として、フォーマット化された画一的な方法を提示することのほうが流行っているように感じます。論理的に思考するためにロジックツリーをつくったり、アイデアを出すためにとにかくなんでも書き出したり。このような方法は、一見合理的かつ効率的で正しいように見えますが、わたしは「本当にそれだけでいいのかな?」と、ちょっと引いてしまうのです。たしかに一手先の問題は解決できるかもしれない。でも、五手先には負ける手だというのが透けて見えてしまうと、とても残念な気持ちになるからです。

そんなことになるのは、やはり「自分の頭で考える」余裕がないからであり、自分で自分の「知」を鍛えてこなかったためだと思います。小さいころから、「自分の道は自分で決める」というトレーニングをしっかりと続けていれば、もっと人とはちがう考え方をしたり、選択肢を探したりすることができるにちがいありません。

その意味でも、詰め込み型の受験システムというものは、やはり少々残念なものだと感じています。

問いを立てる楽しさを知る

では、「自分の頭で考える」というのは、どのような営みなのでしょうか。

わたしの場合、考えるという行為そのものがとても楽しいことで、まるで散歩をしてリフレッシュするようなものです。ただの散歩なので具体的な目的はないし、特定の問題を解決しようとするわけでもありません。

まず、わたしの頭のなかには、常にいくつかの考えるテーマがあります。先に領土とも表現しましたが、それらがふだんはいくつか島のように点在していて、自分の頭で考えることでそれらの島々を結びつける新しいアイデアや概念を見つけられると、とても楽しくなります。それこそまるで、島と島のあいだに自分で橋を掛けていく感じです。

つながっていないと思っていた島同士が実はつながっていたり、知らなかった抜け道があったり。自分の頭で考えると、そんなことがたくさん起こります。それは、いわば「新たな道」を見つけるための行為であり、気楽な散歩でもありながら探検でもある、とてもワクワクする営みなのです。

人にはそれぞれ、自分が気になっているテーマがいくつかあると思います。では、どうすればそれらの考えるテーマを、互いに架橋することができるのでしょうか。わたしの実感では「自然とつながっていく」としかいえない感じなのですが、手がかりになるのはこんなことです。

常に問いを立てる。

身のまわりに起きるものごとを、ただ漠然と受け止めるのではなく、常に疑問を持ち、自分で調べたり、わからないことはどんどん人に質問したりする。そんな姿勢を持ち続けていると、人があまり気づかないことにも敏感になるし、「知りたい」という好奇心が強く大きく育っていきます。

わたしも子どものころから人に質問することが大好きで、「多くの人があたりまえだと思っているけどそうではないもの」に気づいてしまう性質でした。もともと自分があまり一般的なタイプではないと心のどこかで感じていたせいなのか、「どうしてみんなはこれをあたりまえだと思うのだろう?」とよく考えることがあったのです。

そして、そんな**自分の立ち位置から見える景色と、みんなが見ているであろう景色を想像し重ね合わせていくと、そこにずれている部分がいくつか見つかり、それがまた新しい問いを生んでいく——**。まさに、思わぬところに抜け道を見つけてしまうような知的興奮があるわけです。

もちろん、この「問いを立てる力」は、別に自分の違和感をベースにする必要はないし、「とにかく問いを立てよう!」と無理してがんばる必要もありません。たとえば、第三者であるAさんとBさんの見ているであろう景色を、その人になったつもりで想像しながら、「この部分がずれているのでは?」と客観的に考えていくこともできるでしょう。

これもまた「入り込む力」の一種なのかもしれませんが、学びだけに限らず、広く日常生活やビジネスシーンに活用できる力ではないでしょうか。

学びとは、入り込み、楽しみ、自分のものにする力

わたしには、大人になったいまでも頭のなかにたくさんの問いがあります。それ以上に、言葉で表現しづらいような、問いや仮説もたくさん詰まっています。

ただ、どんな人も、自分の好きなことや興味関心がある世界においてはいろいろなことを想像し、問いを立て、考えているはずです。自分が好きなことだからあえて意識することがないだけで、すでに、学び、入り込み、楽しみ、自分のものにしているのです。

わたしの場合はその対象が勉強であったことが、やや変わっていたところなのかもしれません。もちろん、わたしにも楽しい勉強と楽しくない勉強があって、楽しいときにはまるでカラフルな世界が目の前に次々と展開されているように感じることがあ

ります。でも、楽しくない授業などは、もう教室全体が灰一色に包まれ、無機質なモノクロの世界にいるようにも思えた。

たとえば、小学校の理科の授業で、浮草を増やす実験をしたとします。Aのシャーレには栄養分をこれだけ入れて、Bのシャーレには塩分をこれだけ入れて、Cのシャーレにはなにも入れない。さて1週間後、浮草はどうなっているか？

こんなとき、わたしには、「わ、Aはこんなに増えた！」と、目の前に起きている現象が、まるで生き生きと息づいているように見えるのです。でも、そもそも実験が楽しくない人なら、「Aが増えた」と事実だけを確認して終わるだけの話でしょう。

つまり**学びとは、入り込み、楽しみ、自分のものにする力**。

学ぶことを「自分ごと化」し、それをとことん楽しむこと。もし一般的に**「勉強できること」がすごいと思われているのであれば、それは知識の蓄積などではなく、「入り込み、自分のものにする力」が人よりも強いということ**なのかもしれません。

わたしは、子どものころから自分なりに学びを楽しみ、やがて科学の世界へと進んだわけですが、これはやはり理科という科目がビジュアルとしてわかりやすく、入り込みやすかったからだと思います。同時にわたしは、芸術や歴史も好きですが、これも周辺に様々な作品やビジュアル資料がたくさんあったことが関係しているのでしょう。

とくに、いまはインターネットであらゆる情報が手に入ります。それこそ、化学の実験器具もオンラインショッピングで簡単に買える時代です。むかし、試験管やシャーレが手に入らなくて、両親に頼んでも怪訝(けげん)な顔をされるばかりだった身としては、本当に現在は恵まれた環境で、「いまの時代に生まれた子どもでありたかった!」と思うほどです。

好きこそ物の上手なれ。

これが、勉強でも仕事でも趣味の世界でも、およそ「学び」が関わるすべてに通じる、上達と成功の王道です。

そして、もしわたしが子どものころに漫画「ナニワ金融道」があったなら、きっと経済のことも少し好きになって、いまより理解できたように思うのです。

山口真由

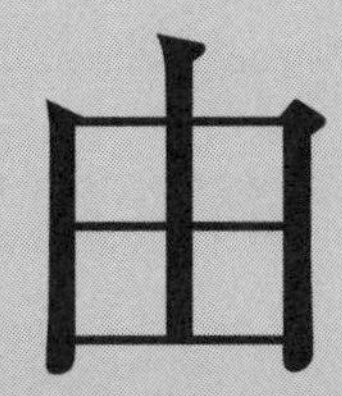

「反復と継続の極意」

【実践編】

どんなテーマの勉強であろうと、
すべての基本になるのは
「読む」力です。
理解する前に、まずその知識と
「知り合い」になること。
わたしが実践してきた
「７回読み勉強法」を紹介します

勉強ができる人は自分の勉強法を確立している

みなさんは「勉強ができる人」というのはいったいどんな人だと思いますか？　地頭がいい人？　テストの点数がいい人？　それとも長時間勉強することができる根性がある人でしょうか？

わたしの答えは明確です。それは、**「自分の勉強法」を確立している人**です。

勉強とは、新しい知識を得て、それを理解していくことです。そして、このプロセスを短時間かつ効果的に行うための方法が、「勉強法」です。つまり、**「勉強ができる人」は、自分にとって最適な方法を知っていて、それに従って（あるいはそれを信じて）進んでいける人**のことなのです。

勉強法といっても、別にむずかしいノウハウを覚える必要はありません。自分にとってもっとも楽で、余計なことを考えることなく続けていける方法――それが自分に合った勉強法です。

結局のところ、方法論は人それぞれ。わたしの場合は小さいころから本が好きで「読むこと」が得意だったので、のちに詳しく紹介する「7回読み勉強法」を編み出しました。ですから、わたしが編み出したこの勉強方法が、すべての人にあてはまるというつもりはありません。ただ、「7回読み勉強法」は、多くの人が効果を上げることができる、比較的汎用性の高い方法だと見ています。

いずれにせよ、勉強をつまずかせる大きな原因のひとつは、自分がやっていることを「これでいいのだろうか……?」と疑ってしまうことです。すると、あれこれ気が散ってしまって勉強に無駄が多くなり、どんどん負のループにはまり込んでしまいます。

努力を続けていても、成果がスムーズに右肩上がりを続けることはありません。**まるで上り階段のように、途中に必ず「踊り場(停滞期)」がある**のです。がんばっているからこそ、なかなか成果が表れない踊り場にとどまっていると焦るものです。そして、そんなときに限ってまわりのことが気になって、「あの方法のほうがいいかもしれない」と他人の勉強法に手を出してしまうのです。

しかし、繰り返しますが、**「勉強ができる人」は生まれつき才能に恵まれた人では**

なく、自分がもっとも楽な方法で勉強できる人のことです。人には、それぞれ自分に合った勉強法があります。そんな勉強法は〝命綱〟のようなもので、上に登れないからといって手放してしまうと、停滞するどころか、残酷にも下へと落ちていくだけです。

だからこそ、自分の勉強法は変えてはいけません。改善することは必要ですが、信じて続けることがなにより大切。逆にいえば、どんな人でも自分なりの方法を見出すことができれば、おのずと結果を出すことができるのです。

「知っていることが8割」の状態をつくる

わたしが、読むことを軸にした「7回読み勉強法」の話をすると、「もともと文章の要旨を摑む才能があるのだ」といわれることがあります。

しかし、わたしはこのように考えています。

文章に意味さえあれば、どんな難解な文章も読めば必ず理解できる。

なぜそう言い切れるのでしょうか。それは、どれだけむずかしく感じる文章でも、10回、20回と繰り返し読めば、いずれ必ず要旨を見つけ出すことができるからです。もちろん、難解な専門用語だけで構成されている文章の場合は、何度読んでも理解できないかもしれません。それでも、その専門用語一つひとつをていねいに説明している別の基本書を先に読んでいれば、ある程度の文意を理解することはできるはず。

つまり、**才能ではなく「回数」の問題**なのです。

それこそ、難解な文章をすぐさま理解する人がいても、彼らは別に特別な存在ではありません。おそらくは、これまで相当量の文章を読んできたという経験によるちがいだけです。**すぐに理解できる人は、その分野の基礎となる背景知識を得るために膨大な読書を積み重ねてきた**のです。

「ならば、本に慣れ親しんできた生育環境のちがいなのでは?」

そう思う人もいます。もちろん、そうした環境要因は大きく影響するでしょう。わたし自身は、「読む」ことを軸にした方法は、汎用性が高いと考えています。ただ、子どものころから主に「聞く」ことに特化したり、ビジュアルを通じてものごとを理解してきたりした人には向かない方法かもしれません。

ただ、そのどちらともいえない場合なら、「むずかしい文章は読めない」と、はなからあきらめるのはもったいないと思いませんか？　たしかに子どものころのほうが吸収力は高いし、スタートが早いに越したことはないでしょう。

でも、**大人には十分な経験と意志の力があるので、より焦点を絞った勉強ができます**。たとえ何歳であっても、「よし、やろう！」と思った時点から回数を重ねていけばいいのです。むしろ、「これまでの経験があるからこそ、若いころとはちがうアプローチで理解できるのだ」と考えることで、人生を変える一歩を踏み出していけます。

そのためには、「反復する回数を重ねることがつらくない」教材を選ぶことも大切です。なぜなら、あまりにわからないことが多過ぎると、さすがに勉強を続ける意志がなくなっていくからです。

そこでわたしは、**「知っていることが8割、知らないことが2割」という基準でテキストなどを選んでいます**。たとえば、英文を読むなら、すでに単語の8割（できれば9割近く）を知っている教材を反復するわけです。

では、まったく新しいことを学習するときは、どうすればいいでしょうか？

そんなときは、**問題集の答えを先に丸読みしてしまいましょう！　教科書なら、理解できなくてもいいのでとにかくすべて読み通してみましょう**。そうして、まず「知っていること」の割合を3割、4割、5割……と増やしていくことを優先すればいいのです。

実際に、わたしは高校時代、苦手な数学の問題はすぐに答えを見ていました。そして、次はその解答にしたがって問題を解くことを繰り返したのです。そうしてしつこく続けていくと、「知っていること」の割合がやがて8割を超えていき、解答を見なくても解けるようになっていきました。

勉強のポイントは、できるだけ早く「知っていること」が8割の状態に持っていくこと。そうすれば、理解度も定着度も上がっていきます。

すべての勉強の基本は国語力にあり

先に、「どんな難解な文章も読めば必ず理解できる」と書きましたが、もうひとつ勉強について大切なことをお伝えします。

それは、**すべての勉強の基本は「国語力」にある**ということです。

ここでの国語力は、インプットのための「読解力」と、アウトプットのための「表現力」を指します。とりわけ読解力は、すべての勉強における最重要要素です。

なぜ、読解力があるとよいのでしょうか？　その理由は、文章を読んだときに、「書いた人はなにがいいたいのか」「なにが問われているのか」を明確に摑めるからです。

個人的な経験では、大学受験はもとより、司法試験やハーバード大学院の試験でも、この能力が結果を大きく分けると感じました。もちろん、後者ははるかに難易度が上がりますが、それでも、「なぜこのエピソードがここに書かれているのか」「著者にどんな意図があるのか」といったことを文章から読み取る力があれば、的確に課題をクリアすることができるのです。

「国語力がない」と悩む人もいます。でも、国語力を上げることは決してむずかしいことではなく、その方法はこれに尽きます。


ていねいに読む。


コツは、本当にこれだけです。国語力が低い人は、自分でも気づかないうちに文章を読み飛ばしていたり、自分の思い込みで意味を補ったりしてしまい、解答が著者の意図と離れていくことがとても多いのです。

わたしの両親は、「国語力だけで中学校までの全教科をカバーできる」と考えていました。父に至っては、高校までカバーできるのではないかといっていたほどです。

おおむね、わたしも同意見です。「国語力」に偏重したことでハーバード大学院まで いけたとわたしは本当に思っています。しかも、わたしは国語力を上げる特別な教育を受けたわけではなく、ただ人よりも多く、本や教科書を読み続けただけなのです。

得意分野は「読む」「聞く」「書く」「話す」で分析する

わたしは勉強でも仕事でも、本気で努力するなら自分の得意分野ですると決めています。得意なことを磨いて〝尖った能力〟に変えていければ、不得意なことは十分カバーできます。

では、「自分の得意なことがわからない」人はどうすればいいでしょうか？

自分の得意分野を見極めるために、わたしがよく使う方法を紹介します。それは、「読む」「聞く」「書く」「話す」の４つの行動で、自分を分析する方法です。

たとえば、わたしの場合は「読む」ことが圧倒的に得意ですが、一方で「話す」ことに苦手意識を持っています。また、「聞く」ことも比較的得意ですが、「書く」ことはふつうといったところ。すると、わたしは「読む」ことに特化したインプット型ととらえることができます。

そうであれば、たとえば仕事なら、大量の資料をすばやく読む必要があり、かつクライアントに文書で回答することが多い企業法務専門の弁護士が選択肢にあがるわけです。逆に官僚の仕事は、政治家に口頭で報告・説明する場面が多く、一流の官僚には「話す」能力が高いレベルで求められるため、わたしには不向きだといえます。

この4分野での評価でもはっきりしないときは、他人からの客観的な意見を聞くことで、自分では思いもしなかった得意な一面を発見できることもあるでしょう。

いずれにせよ、勉強に話を戻すと、結果を出すために大切なのは「自分に合ったやり方」で勉強することに尽きます。誰にでもあてはまる勉強法はありませんが、多くの人が楽に取り組めて、結果もついてくる普遍性の高い方法は存在します。

次からは、わたしが編み出した「7回読み勉強法」について、そのエッセンスを紹介します。

30分の流し読みをサラサラと7回繰り返す

初対面で誰とでも、すぐに打ち解けて仲良くなれるタイプの人もいます。でも、そんな人は実際には多くありません。ふつうはまず相手と挨拶を交わし、名前や属性を確認するなど、その人を少しずつ知っていくプロセスがあるはずです。そうして「知り合い」になってから、はじめて相手のことを「理解」していくわけです。

勉強もこれとまったく同じ原理です。

つまり、**理解しようとする前に、まず「知り合い」になることが必要**なのです。具体的には、本や問題集に書かれた内容を理解する前に、視覚的に馴染んでいくような「認知」のプロセスが必要になるというわけです。

これは、ものを学びはじめたばかりの子どもや、わたしたちが外国語を学ぶときのことを思い出せば明らかでしょう。学ぼうとする内容がたとえ簡単な言葉や文章であっても、前提となる知識（単語や文法や背景知識）を知らなければ、その内容を理解することはできません。そして、これから紹介する「7回読み勉強法」は、まさにこの「認知」の状態をつくることからはじまります。

最初から内容を理解しようと読むのではなく、何度も読んで「知り合い」になっていく。そうして理解へと向かう道筋をつくっていくわけです。同じものを7回読んだあとは、不思議なことに内容をしっかり理解できていることに気づくはずです。少なくとも、理解は確実に深まっています。

厳密にいえば、知らないことを知ることが理解ではありません。

知らないことは、理解できないのです。

より具体的に紹介していきましょう。

まず、わたしは300ページ程度の本なら30分程度で読んでしまいます。このようにいうと、「それはなにか特殊な速読法を使っているの?」と聞かれるのですが、ただの流し読みに過ぎません。サラサラと読んで、わからない箇所があっても止まらず、理解しないまま読み進めます。守っていることは、1回で1冊を読み切ること。そして、できれば1日以内に2回目に入ることとくらいです。

個人差はありますが、約300ページの本を、自分のなかでいちど内容を理解できる速さで読んで1週間かかるとしましょう。でも1週間後、その内容を詳細に覚えている人はあまり多くないはずです。なぜなら、読んだ内容を「反復」していないため、記憶に定着しづらい状態になっているからです。少なくとも、1、2日目に読んだ箇所は、1週間後にはかなり忘れていると推測できます。もちろん、その都度戻りながら読んでもいいのですが、そうすると時間はどんどん過ぎ去ってしまう。

しかし、「7回読み勉強法」では、1回ごとの理解度は浅くても、繰り返し読むことで頭に内容を刷り込んでいくことができます。すると、1週間後には同じ本を1回だけ読んだ人と、7回読んだ人で理解度に歴然とした差が生まれます。これが、「7回読み勉強法」の肝(きも)です。

記憶は継続と反復で強化されるため、1冊の本を7回も通読すると、記憶の定着度はかなり高まります。

まるで、**本の内容を「丸ごと写し取る」ように、頭に定着させる**ことができるのです。

網羅性の高い1冊の基本書を選ぶ

「7回読み勉強法」は、1回1回が流し読みなので、読む負担も軽くなります。30分~1時間程度で1冊を読み切るには、かなりの集中力が必要と思われるかもしれませんが、最初は内容を理解せずに読み流すだけで大丈夫。ですから、気楽に取り組むことができるはずです。

それでも、同じ箇所を繰り返し読んでいると、自然と記憶に定着していきます。むしろ、「読むこと＝ページをめくること」くらいに思って、とにかく最後まで読み進めることが重要なのです。

「読む」というアプローチは、「聞く」「話す」「書く」と比べて、情報のインプットが圧倒的に速い方法です。また、「いつでもどこでも」できるのもメリットです。本1冊さえ持ち歩いていれば、移動中でもどこでも勉強ができるからです。「隙間時間」を最大限に活かせるので、毎日の貴重な時間をほとんど無駄にしません。

1冊の本を繰り返し読むということは、当然ながら、読む本を厳選する必要があります。もし、ほかの本と比べて内容に、抜けや漏れがあれば、どれだけ繰り返し読んだとしても、得られない知識や情報が出てきてしまうでしょう。

ですから、**読む本を選ぶときに気をつけるべきポイントは、なにより「網羅性」**です。学ぶべきことが余すことなく書かれている、あるいは自分がそう信じることができる本を選ぶ必要があります。学生の場合は教科書でいいのですが、社会人が勉強する場合は、網羅性の高い参考書や問題集を1冊選ぶことを強く意識しましょう。

また、意外に大切なのが、その本に「愛着」を持てるかどうかという部分。なぜなら、常に持ち歩いて何度も繰り返し読むためには、自分が気に入った本でなければ続けるのがつらくなってしまうからです。

その分野で定評のある、いわゆる定番本に縛られる必要はありません。もちろん、定番には定番たる理由があるので、慎重に内容を検討する必要はありますが、遜色がない内容・情報量であれば迷わず自分に合ったほうを選ぶべきです。

さらにいえば、上下巻に分かれていると持ち運びしやすくて重宝しますが、図や写真が多い本は厚さのわりに内容が薄くなっているので注意が必要。図や写真が多用されているとたしかにわかりやすいのですが、ページ数の都合上どうしても本文を削る必要があり、内容の抜け・漏れが避けられないからです。

このように、**自分に合った網羅性の高い基本書を1冊選ぶことが、「7回読み勉強法」をはじめるにあたって、とても大切な要素**になります。

本の内容をもっとも理解しているのは著者

サラサラと流し読みをするだけでは、「重要な箇所とそうでない箇所を見分けられないのでは？」という人もいます。

結論からいえば、読み手が最初からこれを判断する必要はありません。なぜなら、**重要な箇所はだいたい太字やカラー文字になっていたり、説明も長めに書かれていたりする**からです。つまり、そもそも**本というものは、そのまま読み流していくだけで「重要」「まあ重要」「参考情報」というように、自然と情報を判断できるようにつくられている**のです。

本の内容をもっとも理解しているのはほかの誰でもなく、著者です。

もし、読み手がその著者と同程度の前提知識を持っていないのであれば、読みはじめる前に「重要かどうか」を判断することはむしろ避けたほうがいいでしょう。その結果、まちがった判断で「重要だ」と勘違いしたり、必要な知識を見落としたりするからです。

「7回読み勉強法」は、まず本の内容を「そのまま」脳内に写し取っていく作業です。薄いインクで印刷されたものを何度も繰り返し、次第に色が濃くなっていくようなイメージを持つとわかりやすいかもしれません。まずは、内容をそのままスキャンしていくように写し取っていくことを意識してください。

そして、何度も繰り返し読むことで内容の理解が深まってから、自分なりに要点と思う箇所を定めて、必要に応じて読み直す微調整をすればいいのです。

頭のなかに本の全体像を写し取る

ここからは「7回読み勉強法」について、具体的な手順を紹介していきます。

まず、わたしはいつも「頭のなかにまっさらのノートがある」ことをイメージし、そのノートに本の内容を丸ごと写し取っていくことを目標にしています。

最初の1〜3回目は、見出しなどを拾いながら読み流していくプロセスです。個人的に「サーチライト読み」と呼んでいますが、要は本の全体像を摑む作業になります。

●1回目

章のタイトルや見出しを拾いながら、頭のなかのノートにそのまま写し取る感覚で読んでいきます。**文章を1行1行読むのではなく、情報が集中している箇所、とくに「漢字」を拾っていくように流し読むイメージ**です。また、見出し同士の関係もなんとなくつかみながら、その本の全体像を感じ取っていきます。

●2回目

1回目と同じように、漢字を意識しながら、3行ずつ斜め読みするイメージで読んでいきます。**1回目で見出しなどは頭に入っている（定着しているという意味ではありません）ので、そのうえで2回目を読み流していくと、全体の構造やアウトラインがより頭に入ってきて、全体像をとらえられる**ようになります。

●3回目

2回目と同じ要領で、**さらに流し読みを続けます。2回目で把握した全体構造やアウトラインがより明確になっていく**はずです。この段階でもまだ内容を理解しようとするのではなく、あくまでもサラサラと読むことがポイントです。

読書においてもっとも大切な要旨を摑む

次の4、5回目を、わたしは「平読み」と呼んでいます。すでに、1~3回目で本の全体像を摑んでいるため、頭のなかに内容が入りやすい状態になっています。そのうえで、重要なキーワードを意識しながらふつうのスピードで読んでいき、「要旨」を摑むプロセスになります。

●4回目

ただの流し読みではなく、**頻出する「キーワード」や詳しく説明されている用語に注目しながら、自分なりにふつうのスピードで読んでいきます**。ただし、この段階でもまだ内容を理解したり、覚えようとしたりする必要はありません。「この言葉がよく出てくるな」「この用語を著者はけっこう詳しく説明しているな」と感じ取りながら、読み進めてください。

●5回目

基本的には、4回目と同じ要領で読んでいきます。ただし、5回目で大切なのは、キーワードとキーワードのあいだにある説明文を意識すること。つまり、**4回目で注目したキーワードが「どのように説明されているか」、キーワード同士が「どのように関連しているか」に注目**します。それによって、ある段落やページの「要旨」を掴むことを目指します。

この**「要旨（論点はなにか、どんな説があるかなど）」を掴む作業が読書においてはとても重要なので、あえて4回目と5回目の2回に分けて行う**わけです。

答え合わせの感覚で要約しながら読んでいく

ついに6、7回目です。わたしはこの段階を「要約読み」と呼んでおり、文字どおり、内容を要約しながら読んでいきます。

●6回目

5回目までに要旨を摑んでいて、**おおまかな内容もわかっているところで、細部に目を向けていきます**。ここでいう細部とは、要旨を説明する箇所のことで「具体例」などにあたる部分です。これらを読みながら、キーワードの意味やキーワード同士の関係をより正しく理解していきます。

また、細部に目を向けると、著者が自分の主張を裏づけるためにどのような具体例をあげているかがわかります。そうして頭のなかで内容を「要約」しつつ、本の内容がしっかりスキャンされているかを確認しながら読んでいきます。

●7回目

最後に記憶に定着させます。「ここにはこんなことが書いてあったはず……」と頭のなかで先に要約し、**答え合わせをするような感覚で読むといい**でしょう。

ここまでをまとめると、**1〜3回目で全体像を感じ、4、5回目でキーワードを意識して要旨を摑み、6、7回目で内容を要約する流れで1冊の本を読むのが、「7回**

読み勉強法」の根幹です。

繰り返しますが、知らないことは理解できません。そこで、内容を理解する前に、まずその本と「知り合い」になることが大切になります。

さて、わたしは、重要な基本書についてはで7回以上読み続けることもよくあります。6回目以降は「要約し、答え合わせをする」感覚で読むと書きましたが、回を重ねるごとに、このプロセスをどんどん強めるイメージで読んでいくのです。

たとえば、読んでいてキーワードが出てきたら、「この用語にはたしかふたつの観点から著者の説明があったはず」と、頭のなかで要約します。そして、そのまま読み進めて、「やっぱり肯定と否定のふたつの意見があったか」「たしか肯定する理由は3つあったはず……」「あ、理由はふたつだったか」というように、確認していく感じで何度も読んでいます。

いわば、**1冊の本の構造を感じ取りながら、かなり「能動的」な姿勢で読み込んでいく**わけです。

このように、基本姿勢としては「流し読み」を繰り返すだけなのですが、**回数を重**

ねるごとに少しずつアプローチを深めて内容に親しんでいくので、自然と深い理解へと変化していくのです。これがまさに、先に書いた「認知」から「理解」へ至るプロセスと重なっています。

もちろん、慣れないうちは7回で終えることにこだわる必要はありません。やる気があれば、ぜひ10回でも20回でも流し読みをしてください。1冊の本を7回読み通すだけでもかなりの効果を期待できますが、文章の理解と記憶の定着を担保するのは才能ではなく、回数にかかっているのです。

英語は「黒いドット」の集中部分と「否定語」を意識

社会人には英語を勉強している人も多いと思いますが、英語の本にも「7回読み勉強法」は活用できます。先に書いたように、わたしはハーバード大学留学時に英語でかなり苦しみましたが、英語で「7回読み」をするコツを摑んでからは、日本語と同じような成果を出せるようになりました。

「7回読み勉強法」では、まず漢字を意識して読み流していきます。漢字部分には仮名よりも情報が集中しています。そのため、漢字を意識しながら文章を脳内に写し取るように読んでいくと、自然とメリハリがついた読み方ができるからです。

しかしながら、英語に漢字はありません。そこで試行錯誤を経た末に、**英語では「黒いドット」が集中している部分を意識すると、流し読みに重要度のメリハリやリズムができ、「認知」から「理解」へ至ることができるのを発見**しました。

この「黒いドット」が集中している部分というのは、主に「固有名詞」や「長く複雑な単語」です。これらが、英語における情報が詰まった重要な部分。もちろん、専門的には、冠詞や助動詞なども重要な要素にちがいありませんが、「7回読み」では、まず長く複雑そうな単語を拾っていくことで、短時間で内容と「知り合い」になることを優先します。

また、先に文章を読むうえでもっとも大切なのは、要旨を摑むことと書きました。これは、いわば文章の「筋」を正しく読みとっていくことです。

「著者はどんな考え方を持っているのか」

「この意見に賛成なのか、反対なのか」

そうした要素を、流し読みの段階からおおまかに意識して読んでいくことで、内容の理解度は断然高まります。

このとき、日本語の場合は、「～です。」「～ではない。」と文末を結んで、肯定を表したり否定を示したりします。そこで「句読点の前」の情報をより意識して読むことで大きく筋を外すことはありません。しかし、英語では文末の句読点（ピリオドなど）の前にはさほど重要な情報はありません。英語は重要なこと（主張など）を先にいう言語なので、日本語と同じ感覚で読んでいると、著者の意図や考えを大きく外してしまうのです。

そこで、**英語の場合は、主語のあとの動詞の前後にある「否定語」に注目**してみてください。具体的には、「don't」や「didn't」などを中心に、意識する箇所を変えて読んでいく必要があります。

英語をただ流し読みしていても、おおまかな意味や流れが感じ取れなければ、ただのつらい作業になってしまいます。最初は「黒いドット」が集中している箇所と、「否定語」を意識して、流し読みをはじめるといいでしょう。

天才ではない人は努力型になるしかない

ここまで、「7回読み勉強法」の具体的な方法について紹介しました。本の内容を認知し、理解に至るためには、やはり同じ内容を反復・継続することが、結局は早道になります。

数年前、わたしが自分の勉強法をはじめて公開したとき、賛同とともにこんな声もたくさんいただきました。

「7回も読めないよ」

「教科書を読むこと自体がつらいんだよ」

たしかに、勉強することに慣れていなかったり、目的があいまいだったりすると、退屈な教科書を読む作業は苦痛かもしれません。わたしも英語で「7回読み」に挑戦したときに、はじめてそのことを思い知りました。「人によっては負荷の高い勉強法なのかもしれない」と思って、不安になりかけたこともあります。

でも、いまではっきりお伝えできることがあります。それは、**どんなアプローチをとったとしても、努力や勉強に「楽な近道」はない**ということ。

このことを、わたしはハーバードに留学しているときに確信しました。そこにいる生徒たちは世界中から集まった秀才ばかりです。しかし、そんな生徒たちでさえ、少しの暇があれば教科書をぼろぼろになるまで繰り返し、繰り返し読んでいたのです。芝生に寝転び、授業に備えて飽くことなく教科書を読みふける姿を目にして、「やっぱり勉強に近道はないのだ」と、わたしは思いを新たにしました。

大きな結果を出すのは、決して要領よくテストの点数を稼ぐような人ではありません。**時間をかけて、努力し続けた人が、最終的に伸びていく**のです。

そして、これは勉強だけでなく、成功を摑むための「王道」です。自分が本当にやりたいことをして生きていきたいと思うなら、努力型の人間を目指すべきだということです。

世の中に天才はほとんどいません。多くの人は、秀才も含めて凡人として生まれ育ちます。もちろん、わたしもそうです。わたしは保育園のころ、母やまわりのペースについていけなかった段階で気づきました。

「どうやらわたしは天才ではないみたい」

そこから、わたしは残りの人生を「努力」して生きることに決めたのです。なぜなら、努力以外にほかのよい方法をとくに思いつかなかったからです。

もちろん、人によって努力の程度に差はあるでしょう。でも、自分なりに少しずつ努力を積み重ねて確実に進んでいけば、やがて思いもよらない景色が眼の前に開けていきます。努力は絶対に裏切りません。努力したぶんだけ前へと進んでいけるのが、まさに努力のよいところなのです。

わたしはいま、およそどんなことでも、努力さえすれば達成できると考えられるようになりました。そして、繰り返しますが、**わたしにとって努力とは、あるなにかを「反復」し「継続」すること**に尽きます。

たとえば、一流の音楽家やアスリートは、ふだんから基本的なトレーニングをひたすら繰り返し、それを数十年にもわたって休まずに続けています。そんなたゆまぬ努力を積み重ねているからこそ、誰もが驚くような成果をあげることができるのです。

これを勉強に置き換えたのが、わたしの基本的な考え方です。同じ内容を何度も繰り返し読み、それを習慣のように続けていくことで記憶に定着させ、少しずつ理解度を上げていくのです。

はっきりいいましょう。

天才ではない人が成功を掴むためには、努力するしか手段はありません。

逆にいえば、**ほとんどの人に成功への道は開けている**のです。

努力し続ければ、いまの自分ではない「何者か」になれる

「昨日の自分よりも少しだけ成長できたかな」

そんな実感を持てるからこそ、人は前へと進んでいけます。いまの自分ではない「何者か」になる努力をし続けるからこそ、自分に健全な期待をしながら、前向きに生きていくことができるのでしょう。

もちろん、そんな努力型の生き方は苦しいこともあります。ですが、得られる結果は、その苦しみを補って余りあるほどです。地味な努力を人知れずコツコツと積み重

ねる。それによって、思ってもみなかった場所へ行き着くことができるのです。

いったんそんな生き方があることを知れば、自分の経歴や他人からの評価なども気にすることがなくなります。なぜなら、ただ純粋に自分の目的に向かって進んでいくだけだからです。自分の努力にすべてがかかっているからこそ、他者や環境に左右されることがなくなっていくのです。

つまり、**自分の限界を決めるのは自分**だということ。

努力すれば、努力したぶんだけよい結果が返ってきます。努力し続ければ、いまの自分ではない「何者か」になることができるのです。

このことを、ぜひみなさんに知ってほしいと思います。

小さな疑問を知ることで新しい自分へと近づこう

なぜ、人はものごとに、あるいは未来に不安になるのでしょうか。

それは多くの場合、その対象について「知らない」からです。知らないから怖くなるし、怖くなるから、それを知ることに気後れしてしまうのです。

でも、いったん知らないことを「知って」しまうと、そんなおそれは嘘のように消えていく――。

「なんだ、そういう意味だったのね」

「よし、もう少し調べてみようかな」

そうして、また次に現れる未知なる問題にも、前向きに取り組む気持ちが生まれてきます。

そんな**学びに積極的な体質になるには、ふだんから、「小さな疑問」を放っておかないこと**です。わからない言葉を目にしたり、気になる話題があったりしたら、すぐさま自分で調べてみましょう。

なんとなくそのままにしておくのではなく、すぐ人に聞くのでもなく、自分の手を使って調べることがすごく重要なこと。いまはスマートフォンさえあれば、すぐにオンライン辞書やウィキペディア（正確ではない情報の可能性はありますが……）などにアクセスできます。そして、自ら能動的に調べたことは、より記憶に定着しやすくなります。

こうした「小さな疑問」を知ることに体を慣らしていくと、どんどん学びに前向きになれる態勢が整っていきます。「既知」と「未知」とのあいだに横たわる壁を越えるには、その対象を「知る」プロセスがどうしても必要です。そして、「未知」が「既知」に変わるとき、あなたにどんな変化が起きるのでしょうか。

新しい自分へと変化する。

昨日までの自分ではなく、1歩前へ進んだ新しい自分になること。勉強は、それを可能にしてくれる最良の手段だとわたしは確信しています。

知らないことは、怖いことではありません。知らないままでいるから、いつまでも怖いのです。**努力と勉強が本来持つ力とは、まさに不安や恐怖を乗り越えて、「前を向く力」を与えてくれる**ことなのでしょう。

そうして、あなたは少しずつ新しい自分に近づいていけるのです。

「好き」を追求した学生時代

中野信子
×
山口真由
対話
【STUDY_01】
自分の考えや価値観がたとえ多くの人とちがったとしても、
自分の「好きなこと」に脇目も振らず没頭する。
バランスが悪くても、役に立たなくてもいい。
大切なのは自分で考え、学び、
自分で決めて生きること。
それが、東大という場所だった

人間は学習することで人間になる

中野　はじめて会ったのは、「平成教育委員会」（『平成教育委員会2013!! ニッポンの頭脳決定戦SP』フジテレビ系列）の収録だったよね。あれはたしか2012年の末ごろで、真由ちゃんは、最初わたしを怖い人だと思っていた。

山口　そう！　当時といまとではまったく印象がちがうかも。信子ちゃんは本質的にはあまり変わらないけれど、あのときより人間として滑らかになった感じがする。

中野　おお、それはうれしい！

山口　でも、信子ちゃん、あのときいきなり優勝するというね。

中野　なぜか優勝しちゃったんだよ（笑）。そうそうたる人がいて緊張していたし、たぶん真由ちゃんもそうだったはず。

山口　うん、すごく緊張した。

中野　そのせいか、わたしも「山口さんは怖い人かもしれない……」って感じていたよ。だって、なにせ東大首席でしょう？　わたしは大学時代落ちこぼれだったから、「首席なんて本当にすごい人なんだ」と思って緊張したわけだよね。でも、それから何度か一緒になる機会があって、ジェーン・スーさんと、Sputniko!（スプツニ子！）さんと４人で食事したときに、一気に印象が変わった。

山口　わたしもそうだった。

中野　あのとき、「この人ってすごくやわらかくてかわいい人だな」と感じたし、この魅力がみんなに届き切っていないと思ったよ。

山口　どちらかというと、わたしは人前でバリアを張ってしまうタイプだから……。それと、わりと強めな感じで話してしまうことがあるからかな？　でも、失礼な言い方かもしれないけれど、信子ちゃんは本質的に少女のようなぎこちなさがあって……。

中野　ああ、うん……（苦笑）。

山口　それがどんどん滑らかに洗練されているけれど、本質的には不器用なところがあると感じてるんだ。それが少女っぽいというか無邪気というか、そんなところがわたしはすごく好きなところ。

中野　そんな性質というのは、やっぱりいくつになっても消えないね……。

山口　でも、たまにそんなところが垣間見えると、わたしはものすごくホッとするな。わたしもかなり不器用だし、ぎこちないし、信子ちゃんとわたしはどこか似ているところがあるような気もする。

中野　それはもう「東大女子あるある」だね。

山口　ずっと勉強をしてきた女の子たちの「あるある」なのかもしれない。「ここはわたしの居場所ではないのかな？　わたしがいても大丈夫かな？」という。

中野　そうそう、どこにいてもアウェー感がある。東大の女子学生はけっこう感じていることじゃないかな。

山口　でも、信子ちゃんがすごいのは、後天的に社交性を磨いたところ。

中野　それはかなりがんばった！（笑）。

山口　あの食事会のときも、すごく優しくて気も遣ってくれるし、でも突拍子もない話題をときどき織り交ぜてくるのが面白くて。あのとき、「人間は人間になることを学ぶ」っていったよね？

中野　そう、わたしは人間というのは学習して人間になると思っている。人間は生まれたときは人間ではなく、社会性などを身につけながらようやく人間になる。もちろん、ふつうならそんなことを考えなくても自然にできるのだけど、不器用な人間はそれがうまくできないことがあるしね……。もちろん、わたしも一生をかけて「人間になろう」と思っているの。

山口 中学生のとき、テストでみんなの成績が悪かったと知って、「みんないい点を取らないように相談したの?」って聞いたんだよね? そして、みんなが一気に引いたのを見て、「これは絶対にいってはいけないことなんだ……」と学習したと。「そんなことをいうから嫌われるんだ」って。

中野 ……。さすがにあれはまずかったよね。真由ちゃんも似たようなことをやっていて、「わたし『良』って1回も取ったことがないから見せて」といっちゃったんだよね?

山口 たしかに、コミュニティーのなかで勝手に自ら傷を負いながら学習してきたかもしれない……(苦笑)。

中野 これって、ただの「空気読めていないやつ」みたいだけど、先生からすると生徒ができ過ぎるのはとても嫌なもので、実は先生にずっと嫌な顔をされてきたという伏線がある。先生ってやっぱり、できなかった子どもが自分のおかげでできるようになるのを見るのがうれしいものだから。でも、わたしは「自分でも知っているようなことをなぜ得意顔で教えるんだろう?」とどこかで思っていたので、授業もあまり聞かなかった。すると先生は、「この子はダメな子だ」となっていく。

山口 授業を真面目に聞かない「いけない子」。

中野 それなのにテストはできたり、いきなり指をさしてあてても答えたりするから嫌な子なんだよね。そんな子として長い期間を過ごしていると、「みんなが点を取らないのは先生に気を遣っているのかも」とおかしなことを思うようにもなる。

自分の「正しさ」とみんなの「正しさ」

山口 逆に、わたしはひたすらがんばるタイプで、そこが信子ちゃんと大きくちがうところかもしれない。わたしって、なにかを習う前からわかったことなんてほとんどないから。

中野 真由ちゃんは超がつく努力型人間だもんね。目標を定めたらしっかり達成できる素晴らしいパワーを持っていて、それは尊敬に値するところ。だから、お互いに似たような体験をしてきたけれど、乗り越え方はちがうんだろうね。

山口 わたしは、むしろ先生には好かれるほうだった。なぜなら、最初は本当になにもできないから、きっと伸びていく過程がわかりやすいんだよね。体育なんて、もう先生の前で何度も失敗しながら一生懸命に練習しちゃうタイプ。

中野 それは絶対に愛される。

山口 先生にはかわいがられる一方、クラスの人から敬遠されがちにもなる。だから社会人になったいまでも、「嫌われないように……」と、まわりの人の顔色を窺うことがたくさんある。でも、信子ちゃんにはその緊張感がないんだよなあ。

中野 そこはもうあきらめたといいますか……（苦笑）。どんなに気を遣っても、わたしのことを嫌いな人はもうどうやっても嫌いだから。ということで、わたしのことを好きでいてくれる人を大事にしようと思っているの。

山口　信子ちゃんのなかには、いまだにすごく頭がよくて不器用な中学生くらいの少女がいてね。そんなところがわたしはやっぱり好きだけどな。

中野　まさに、中二病！（笑）。

山口　きっと中学や高校にかけて、この女の子はそれなりに生きづらかったんだろうなと思う瞬間がある。「こう振る舞うことが正しいんだろう」とみんなの言動を逐一確認しながら生きていて、でもときどき自分の本音を口にした途端、「あの子って変」だと思われてしまう。そんなことが腹立たしかったり、どこかあきらめていたり。わたしはいまでも、バラエティ番組なんかで自分の行動を説明して笑いが起こると傷つくこともあるんだ。悪意のある笑いではないし、「山口さんはそんな感じでいいんだよ」という、むしろあたたかさもわかっているんだけど……。自分がふつうだと思っていることや自分のなかのまっすぐな感覚が、まわりの人とずれてしまっているのかもしれないっていうのは、なんか傷つくというか。

中野　思春期からそれなりの葛藤があったよね。わたしは、真由ちゃんをバリキャリ女子の輝く星だと思っているけれど、そのなかに潜む乙女な部分に触れると、同じように「この人を応援してあげなきゃな」という気持ちになる。

妬みという非効率的な感情

中野 わたしたちは東大へ進学したのだけど、もしかしたら大学の印象はお互いに異なるのかもしれない。わたしは大学がすごく楽しかった。なんだか変な人がいっぱいいて、「自分がおかしくてもけっこう大丈夫なんじゃない?」と思えた場所だったからね。時代的にもまだ、変であったり尖っていたりすることがいまよりは許されるような雰囲気があった気がするし。とくに理系は、「変人のほうが能力を持っている」みたいな風潮もあって、とてもホッとしたのを覚えている。

山口 なるほど。サークルには入っていた?

中野 「時代錯誤社」というサークルで、主に先生たちの成績をつける「教官教務逆評定」という冊子をつくる活動だったんだけど……。

山口 あっ、それ見てた!

中野　シラバスと対照できるようにつくって、それなりに儲かっていたよ（笑）。でも、ふだんはほぼ役に立たない記事を書くというポリシーがあって、「ゼミの取り方」と見せかけて「セミの取り方」を書いた先輩がいたりして、そういうのは楽しかったな。同級生に経済学者の飯田泰之くんがいて、OBには元経済産業省の境真良さんや、いまは社会学者の宮台真司さんらもいたらしい。自分より突き抜けた人がいっぱいいて、「わたしなんてまだまだだ」と思った。

山口　わたしは東大に入ってもずっと勉強1本。でも、中学や高校のときは勉強ばかりするのはちょっと恥ずかしいような風潮もあったけれど、東大ではなにをしていても放っておいてくれるのが新鮮だったかな。みんな他人のことにそれほど興味ないんだよね。あと、みんなあまり勉強をしないのが印象に残っている。

中野　たしかにしない（笑）。

山口　「東大首席ですごい！」とよくいわれるけれど、そもそもみんな勉強をしないし、授業に出てこない人もたくさんいるから、実際はそれほどすごいことでもない。それに、ときどき絶対に敵わない人がいる。

中野　いるいる。

山口 逆立ちしても、絶対に敵わないという人がいる。

中野 まさにそういう人は、天才なんですよ。まるで敵わない。わたしたちががんばってハイヒールを履いて、背を高く見せようとするのが勉強だとしたら……。

山口 目の前に2メートルを超える人がいた！　みたいなね。

中野 世の中には、もともとすごい人がいる。それはもう、どんなにがんばっても追いつかない世界だから。

山口 20代なのに、日本の中世の文章を原文で精緻に読んでいて、「こう書かれているけれど、実はこのように解釈すべきで……」と話しているのを目にしたときは驚いたよ。

中野 掲載されることが高い業績として世界的に評価される科学雑誌「ネイチャー」に、大学4年で論文を載せるような天才もいる。

山口 そういう人って、もともとの才能に加えて、自分に合うことを早く見つけた人たちなんだろうね。東大のいいところは、そんな情熱を持った人を邪魔したり、妬んだりする風潮が学生にも先生にもまったくないことかな。

中野 むしろ応援してくれる風潮だった。

山口　もちろん、研究者の世界には政治的な力学もあるだろうけど、若者が純粋に研究への興味を伸ばしていくことや、知識というものに対してお互いに共有している価値観がある。いいものに対する賞賛を惜しまないというのかな。まあ、天才たちも、才能はあってもメンタルのリズムが整わないとなにも書けない人とか、いろいろな人がいるけどね。

中野　法学部ってそういう人が多いと聞いたことがあるよ。法学部の天才たちって、30歳までにすごい業績を上げて、そのあとなにも書けなくなってしまう人がけっこういるのだとか。

山口　たくさんいたような気がするな。わたしはどんな状態でも、1日5ページと決めたら、凡庸な5ページを書くことができる。そして、「それはすごい能力だ」と逆にほめられたことがあって、なんだか微妙な気分だったよ。だから、天才は天才なりにいろいろ大変なのだろうし、「え、それができないの?」と感じることもある。

中野　たしかにね。東大にはすごく凹凸の激しい才能が集まっていて、そんな〝珍獣博物館〟で、毎日珍獣たちに会うのがわたしは楽しかったな。もしかしたらわたしもそのひとりかもしれないのだけど……（苦笑）。ただ、理系の場合、数学と物理学の一部はさておき、わたしがいた工学や化学や応用物理学などの実験系、また医学系、バイオ系になると、けっこう体力勝負のような泥臭い面があって。

山口 それこそ、努力がモノをいう。

中野 そう。だから、学部生にとって東大は、自分がやりたいことを自由に、愚直に追求できる場所だと思う。

山口 学部生のときは、凹凸があっても他人に過剰に構われることがないから、妬みなども生まれにくいし。

中野 人を妬んでも意味がないからね。人を引きずり下ろしても自分の成績が上がるわけじゃないし、自分ができるようになるわけでもない。それって、単純に非効率で時間がもったいない。それよりも自分ができるようになったほうがいいし。多くの学生がそう思っていたんじゃないかな。

山口 正直なところ、わたしは自分にはない才能をうらやましく思うことは多いよ。でも、そう思ったら、結局「じゃあ少しでも勉強して近づこう」となる。

中野 結局は自分ががんばるしかないんだよね。

自ら課題を設定し、学び、生きる

中野　東大で学んだことはたくさんあるのだけど、よく覚えているのは、わたしが博士課程のとき、当時の指導教官にPh.D.（学術博士）という学位の意味を聞いたことだった。Ph.D.はDoctor of Philosophyの略で、自ら選んだテーマを、自らの力で学んでものにすることができる力。もしくは、理解を深めることができる力のこと。そんな能力を持つ人に与えられる称号だと聞いたんだよね。要するに、自分で課題を設定し、自分でそこに到達できるかどうか。

山口　能動的な学び。

中野　そう。ギリシャ語のPhilosophia（知恵を愛する）にあるように、いわば「知に対する情熱と愛」を試される。そんな視点で博士課程を過ごすことができたのは、とても幸せだったな。だから、自分のテーマとは一見関係がなくても、もしかしたらどこかでつながるかもしれない内容として、先生は積極的に教えてくれた。知的教養の厚みという面では、やっぱり先生に負うところが大きいし、「考えることの楽しさ」や「学ぶよろこび」を深めることができた4年間だったかな。

山口　脳科学とひと口にいっても、ほかの学問とかなり隣接する領域だから……。

中野　まさに理系と文系のあいだ、自然科学と人文科学のあいだにあるような学問だと思う。哲学や心理学の内容も教わったし、その経験はとても有意義だった。「脳を見るのではなく、人間を見る」ということを学べたから。

山口　わたしも、人は結局のところ個人であり、すべて自分で選択しなければならないと考えさせられた4年間だったな。高校まではみんな似たようなカリキュラムを受けて集団のなかで競うわけだけど、東大では、とくに1、2年生の前期過程は、もう「好きなことをやって」という感じ。すると、勉強する人もいればしない人もいるし、なにが正解でもなく、すべては個人の選択だった。みんな個人として尊重されたし、ちょっと変わった人がいても、「あの子は浮いてるよね」みたいな空気もなかったし。

中野　たしかにそうだね。

山口　みんな同じ方向ではなく、勝手に自分の方向へ走っているんだなと思った。それぞれが個人として走りながらも、クラスは一時の居場所にもなっていて、いま思えば、人生そのものに近い気がする。

中野　巷には「大学なんかいかなくてもいい」といった議論もあるけれど、美大や音大をはじめ専門的なスキルの養成に特化した大学はさておき、大学は特定の資格を取る場所ではないので、「なんのためにいくのか」と考えるなら、そもそも大学にいく必要はないのかもしれない。そうではなく、目的を問わずにいこうと思う人がいく場所でいいんじゃないかな。

山口　たしかに、だいたいの大学には教養課程があるし、東大も前期課程では、「これっていま勉強する必要あります？」と思うような学問ばかりをやらされた。

中野　そうなのよ。

山口　高校生のときなら「受験に役立つかも」と思えたのに、大学に入って「え、この知識いつ役立ちます？」というような勉強をたくさんしたな。

中野　現世利益とまったく関係ないことが面白いんだよね。わたしは理系だけど、前期課程では「世阿弥」の授業なども受けて……。

山口　あ、わたしも取った！

中野 あれ面白くなかった？ わたし大好きで。そして、なんとそのときの先生と、のちに『英雄たちの選択』（ＮＨＫ）で偶然再会したの。

山口 それはすごい再会！

中野 北山文化について放映した回に先生がいらしたときは感激して、「駒場のとき先生の授業がいちばん面白かったです！」といって、一緒に写真を撮った（笑）。

山口 へえ。古事記や日本書紀なんかも読んで、「これって原文で読むものなのかね？」って。

中野 役に立たないと思うでしょ？ たしかに、自分の研究には役に立たない。でも、たとえば外国に行ったときに、外国人は「日本人だから能がわかるはず」と一方的に期待されちゃったりするわけだよね。「わからない」というと残念そうな顔をされてしまう。そんなときに、実際的に役に立ったりするから不思議。学んでいるときは、いつ役に立つかなんてわからない。でも、いつか使うときがあるかもしれない。そんななにもわからない未来に、「面白い！」という理由だけで大切なお金と時間を投資する。それこそ、これからの時代は「役に立つこと」なんてすべてＡＩがやってくれるのだから、役に立つことばかりを求めても意味がないように思うな。

バランスが悪くていちばん尖った部分はどこだろう

中野　わたしは高校まで、心のどこかで、社会も人生も「こんなもんか」って感じていたところがあった。でも、そう感じているわりには、みんながあたりまえにできることができなくて、すごくバランスが悪い子だった。いつもひとりだし、そんな状況をあきらめていたところもあった。でも、東大に入ったらそうでもないと思えた。いろいろな人がいて、「本当にすごい」という人にも会えたし、努力しても敵わない才能がいっぱいあって、「世界は広いんだなあ」と思えたから。そして、自分が考えていたよりも世界が広かったことに安心できた。

山口　そうだよね。わたしも自分が苦手なことをなくすためにはとにかく努力すべきだとずっと思っていたけれど、大学に行ってからは、「自分の好きなことだけやればいい」と思えたよ。そして、逆に「自分の能力はなにか」をすごく考えさせられた。

すると、わたしには同じことを同じように淡々とやり続ける力しか人より秀でたところがなかったので、もう「これだけでいいんだ」ってなれたの。わたしは、数学でもすべて解答から覚えるようなタイプだけど、信子ちゃんは数式をいくつか覚えたら応用で解いていけるでしょう?

中野 それなら、菊川怜ちゃんがそうだよ。

山口 そうなんだ。でも、「自分にはなにができるだろう?」「自分の能力はなんだろう?」と突き詰めて考えていくと、わたしの場合は、数式から応用して解こうとしなくなる。それこそ天才的な人でも、毎日同じことを同じようにできないことがあるし、人って本当にバランスがよくないなと思う。賢い人だって、人格的に優れているかはわからないし(笑)。

中野 まあ、そうだよねえ(笑)。

山口 すべてをできる必要なんかなくて、むしろ人はバランスが悪いことが魅力になるんじゃないかなって。自分の崩れたバランスのなかで、「いちばん尖った部分はどこだろう?」と考えて、それを突き詰めていこうとなれたのが、学生時代のいちばんの収穫だったな。

中野信子
×
山口真由
対話
【STUDY_02】

「才能の伸ばし方」

人にはそれぞれ生まれ持った才能がある。
しかし、すべての勉強の前提となる
「言語情報の処理能力」については、
かなりの程度後天的に
身につけることができるだろう。
親が子どもにしてあげられること。
そして、いまの自分自身にすべきこととは――

勉強には、「規律」と一定の「素直さ」が大事

中野　「学び」や「才能の伸ばし方」について、もう少し掘り下げていこうと思うのだけど、まず前提として、勉強ができる人に共通する普遍的な資質はおそらくないとわたしは考えているの。ただし、いくつかの類型はあって、まさにわたしたちが対照的なわかりやすいタイプかもしれない。まず、わたしは面白いから勉強をするタイプ。つまり、面白くないことは絶対やりたくない。でも、真由ちゃんは目標に向かって克己心を持って取り組み、ひとつのものごとを突破した達成感によって次に進めるタイプだよね？　簡単にいえば、真由ちゃんは努力することによろこびを感じるタイプで、そんな人は絶対的に勉強ができるようになる。

山口　あと、勉強できる人は規律がしっかりしている人が多い気がする。自分で自分のルールを決めて、それを守ることができるタイプかな。

中野　規律を少し広義に解釈すると、「自分がいまやっていることの重みづけを、自分で判断できる人」といえるかもしれないね。たとえば、試験勉強に限っていうと、やっている勉強がどれだけ面白くても、試験に関係ないことはすぐにやめる判断ができるかどうか。

山口　そういう意味の規律も、たしかにあるかも。

中野　自分ができることをいくら勉強したって、できないことを勉強しなければあまり意味がないよね。だから、先生に「ここが大事だから何度でも繰り返すように」といくら指示されても、「自分はできるからちがうことをしよう」と判断できる人が伸びるはず。もちろん、教える人はよかれと思っていってくれるわけだけど、それは生徒全体に対する善意であって、個人に向けた善意ではない。そのため、「自分で自分を教育できる人」が成績面では有利になると思うな。

山口　なるほどね。ただわたしは、それでも一定の「素直さ」は大事だと思う。なぜなら、自分のどこができて、どこができないかを正しく判断することって意外とむずかしいと思うから。試験って、「自分はできる」と思っている人が往々にしてミスをするものだし。

中野　ああ、そういうことか。

山口　わたしの場合は、先生がいったことをすべてやってみることが意外とよかったんだよね。たとえば、退屈な文法ドリルをひたすらやらされても、終えてみれば、「意外と効率よく学べたな」とあとで感じることもある。それなりに経験を積んだ教師がすすめることは、いちど試してみることは大事かなと思う。そのあとで、自分に合う、合わないといった選択をすればいいわけで。

中野　たしかに自分で判断する自信がなければ、先生のガイドに従うことは有効なことだよね。その「素直さ」という観点でもうひとつ大事な資質は、できないことを素直に認められるかどうか。人って苦手なものから逃げがちだから、これがけっこうできないんだよね……。だから、自分でちょっと引っかかるなと感じたら、「これがわたしはできないんだ」と認めることも大切な能力だと思う。

勉強ができる子はやっぱり本が好き

山口　さっき信子ちゃんがいった「自分が面白いこと」って、いってみれば好奇心だよね？

中野　わたしのようなタイプに限るなら、好奇心は勉強ができる人に共通する資質だね。ただ、わたしが受験のときに残念だなと感じたのは、自分の興味と受験の方向性がちがう場合があること。たとえば、ゲームやプログラミングなどに夢中になっている人は、いまでこそ評価されるけど、むかしはあまり評価されなかった。でも、そんなことをブレずにやり続けた人のほうが、いま活躍しているよね？　そう考えると、受験は多様な才能を潰しかねないシステムともいえる。だからこそ、いま自分がものすごくやりたいことが見つかっている人は、無理をして受験というシステムに乗らずとも、シンプルに能力を伸ばしてほしい。

山口　そう考えると、わたしはずっと、「本を読むことが好き」というひとつの好奇心に引っかかることをやってきたのかもしれない。もちろん、様々なことにアンテナを張るタイプの好奇心もあるのだけど、自分はそんなタイプではないと感じる人は、「自分が面白いこと」というひとつの好奇心を育てるのがいいはず。それはそうと、本といえば、勉強できる子ってみんな本が好きだよね？

中野　ああ、それは共通しているかも。たとえ好きでなくても、「文字情報を得ることに抵抗がない」ことは前提にあるかな。わたしも、小さいころから本はいちばんの友だちだったし、いちばんの先生でもあった。「国語力」という意味でも、好奇心を育む意味でも本はいいと思う。

山口　本当にそう。

中野　だって、本を読むと、いま生きている人だけでなく、ずっと幅広い時代の人と会話ができるんだよ。それこそ2000年前の人とだって対話できる素晴らしいツールだし、その本の世界や書かれた時代に入り込むような感じで、没入して読むことがある。

山口　本が好きなのは同じでも、入り込み方などはちょっとちがうんだね。わたしの場合、小説はさておき、どちらかといえば本の世界を客観的に見ているような感じかな。わたしにとって本は、「価値観の相対性」や「世界の複雑さ」を教えてくれるもの。だから、そこに書かれた内容をそのまま受け止めてもいいんだと思うことがあるし、自分の価値観がそれほど強くないのかもしれない。わたしって、誰の話を聞いても「へえ、そうなんだ！」ってなるし。

中野　やっぱり素直！（笑）。

山口　本のなかにはいろいろな人がいて、必ずしも好きになれない人もいれば、倫理的に正しい世界が描かれているわけでもない。もちろんわたしも、没入する感覚を持つこともあるけれど、距離感を感じるときも多いし。ただ、子どものころに人間関係をうまくつくれなかったから、人との距離の取り方を人間ではなく、本から学んでいる面はあるように感じる。

中野　結局、目の前の人間関係だけでは狭くなってしまうよね。少なくとも数十年の幅の価値観になってしまうけれど、本棚のなかは１０００年単位だから。ただ、いまはインターネットで情報も簡単に手に入るし、文字情報という意味では本もネットも同じこと。「読む力」は、勉強ができるようになるための前提となる資質といっていいと思う。

社会に適応するには「言語情報の処理」が重要

山口　勉強ができる人のなかには、映像処理のほうが上手な人たちもいるよね。数理モデル[※8]をつくるのがすごくうまい子とか。

中野　数学ができる子はとくにそうかもしれない。

山口　いま大学院に通っているけれど、わたしが「どうしてもわからないからもう少し言語化して」といったら、「じゃあ図で描きます」という若い子がいた。でも、少なくともわたしの分野の「できる」人は「文字情報の処理」が速い人のほうが多いかな。

中野　はっきりいってしまうと、試験でのアウトプットに有利なんだよね。試験は文字や言葉でアウトプットするから、言語情報の処理に慣れていたほうが圧倒的に有利だという側面がある。

山口　東大には両方いるけれど、文字派のほうが優勢だよね。

中野　圧倒的に優勢な気がする。感覚的なものだけど、図形（映像処理）派は全体のなかの10％より少し多い印象という感じかな。２０１２年の世界ポーカー選手権大会で優勝した、プロポーカープレイヤーの木原直哉（きはらなおや）くんがそうだったな。あの人は、文字情報でなにかを伝えようとするとちょっと回りくどくなることがあるのだけど……図形やイメージでものを考えるとキレがすごいんだよね。きっと、ポーカーの席でも、誰がいつなにを出したかをすべてビジュアルで覚えているんだろうな。

山口　図形派の人と話していると、話がいきなり飛ぶことがあるよね（笑）。それって、ふつうに就活したら案外苦しむかも。

中野　ふつうの人とタイプがちがうんだね。就活のように、社会に適応しようとするときには、言語情報をうまく扱えるかどうかが重要なポイントになる。なぜなら、そこでしか判断できないから。圧倒的に頭がよくても、言語情報がうまく処理できないと不利になってしまうので、とてももったいないような気がするな。逆にいえば、勉強そのものがそれほどできなくても、言語情報さえうまく処理できればなんとかなる。

山口　わたしはあまり処理できないタイプだからな……。

中野　いやいや、すごく勉強ができるし頭がいいんだからそんなことないよ（笑）。でも、言語情報の処理は鍛えがいがあるので、やればなんとかなる。ＩＱなんか関係なくて、言語情報の処理能力というのは、勉強次第で補完できると思うから。

山口　言語情報の処理って、生まれつきの資質じゃないのかな？

中野　言語情報はあまり遺伝の影響はなくて、後天的な努力がすごく実を結びやすい領域だとされているよ。

※８　数理モデル
現実の世界で起こる様々な問題（対象）を簡略化し、方程式などの数学的なかたちで表現すること

言語能力が育つ環境は親の努力でもつくれる

中野　一方で、「努力できる資質」というものが別にあるよね。真由ちゃんのように努力することが楽しくなりやすいタイプと苦手なタイプがいて、これは実は生まれつきだったりする。

山口　ええ？　我が家は特殊なのかな？　座って歯磨きをしたら、そのままふつうに本を読んでしまうような家族だったから。だから、努力じゃなくて「習慣」なのかって。うちに来てみてよ。もう家族みんな習慣で動いているから（苦笑）。

中野　それはご両親の教育が素晴らしい！（笑）。

山口　うーん、まったく特別なイベントはない家庭だけど……。

中野　親の仕掛けづくりが大切なんだよね。イベントじゃなくて、ルーティーンになる仕掛けをつくる。でも、言語情報は後天的な能力だよ。一時期、親の社会経済的地位が子どもの学力に相関するというリサーチ（平成29年度全国学力・学習状況調査を活用した専門的な課題分析に関する調査研究）が話題になったことがあった。でも、よく調べてみると、もちろん社会経済的地位は大事なんだけど、小学校高学年くらいのときに、どのくらいボキャブラリーが豊富な環境にいたかが実は影響するという見方がある。すると、仮に親の社会経済的地位がさほど高くなくても、たとえば家に本がたくさんあったり、大人がたくさん家にやって来て子どもが使わないような単語が飛び交っていたりすることなどが影響する。日常会話のなかに、「現世利益」みたいな言葉がふつうに出てくるとかね。

山口　たしかに、うちの親はひっきりなしに喋っていたかな。

中野　それは、言語空間が豊かだったんだね。

山口　でも、話の内容はなかったような……。「今日のお弁当は冒険してお素麺を入れるぞ」とか、母はずーっととにかく喋っていた。ただ、わたしが小さいときは、ひたすらわたしに話しかけていたらしいけど。

中野　それはきっとよかったと思うよ。

山口　父も母も、子どもだと意識してとくに語彙を変えなかったと思う。

中野 それは素晴らしいことだよ。

山口 「最近はこんなことが人口に膾炙（かいしゃ）していて……」みたいに話していたな。うちは辞書がリビングに置いてあって、「膾炙がわからないなら調べれば」という感じで。

中野 その意味では、言語能力が育つ環境をつくるのは、親の努力でもできることだよね。

勉強ができる子は父親が熱心

山口 そういえば、勉強ができる子を見ていると、父親がおしゃべりな家庭が多くないかな？

中野 ああ、それもわかる。おしゃべり上手で、教育パパが多いよね。勉強ができる子の父親が、子どもに無関心な家庭は少ないんじゃないかな。父親が熱心なのはあるかもね。

山口　父親と第一子（3歳〜12歳）とのふれ合い（学科・学習と直接関わりのないものも含む）が多いほうが、成績がよいとする統計を見たことがある（学習研究社「父親と家庭教育に関する調査」）。きっと、母親は子どもと距離が近過ぎてむずかしいいんだよね。

中野　お母さんって、やっぱり言い過ぎちゃうんだと思う。「どうしてできないの?」とかね。うちはそうはいわれなかったけど、「頭がおかしくなるからそんなに勉強しちゃいけません」とよくいわれた（苦笑）。

山口　親御さんを見ていても、「ケア」と「コントロール」のバランスってすごく大事だと思う。最近は、けっこう親のコントロールが強い気がするな。「こうやってやりなさい」とか、「ちゃんと宿題やったの?」って。すると、子どもはやっぱり反発するよ。

中野　いわれなくてもわかってるって、ね。

山口　そうそう。でも、うちの親は、わたしが東京の高校へいくといったとき、「しょうがないな。この子はもうわたしたちのコントロールの範囲じゃない」と覚悟したようで、そのあとはケアだけが残った。するとわたしは逆に、「人生をすべて自分の責任でコントロールしなきゃいけないからやばいかも……」と思った。だからこそ、一生懸命になれたの。熱心な親御さんはコントロールが強過ぎることがあるから、もっとケアを強調したほうがいいかもしれないね。

中野　ある程度の水準で自分をコントロールできる年齢になったら、子どもに任せてちょっと観察してみる。親にとっては勇気がいることだけど、たとえば1週間と決めて観察するとかね。実験的に試す期間があってもいいかもしれない。

山口　うちの親は、最初はコントロールしておいて、それをどんどん弱めていくタイプだった。自転車と同じで、最初は手で持っていてくれて運転していたらいつのまにか手を離しているみたいなね。勉強も最初はきちんとついていてくれて、そのうち30分に1回くらい「わからないところある？」というように見にくるような感じで、少しずつ手放していく。

中野　そうかも。わたしも小学生のころ、父親に勉強を見てもらった思い出がある。教えてくれたというより、一緒に考えるような面もあったけれど、「こんな本があるよ」とガイドしてくれたり、自分が教えられなければほかの人を紹介してくれたり。

いま思えば熱心だったように感じるかな。

できる子の親は さりげなくコントロールする

山口　わたしはいま、家族法を研究しているの。その視点から、やっぱり家庭を「閉じられた領域」にしないほうがいいと思っている。本でもいいし、いろいろな学校でも塾でもいいので、子どもが興味を持って自分の世代とはちがう人から学べる場所があれば、そんな世界を開いておいてあげるのが子どもには楽なのかなと。

中野　たしかにそうだね。

山口　いまの受験って開かれているようでいて、親がその都度送迎に行って、終わったら次のスクールへ行ってと、ちょっとキツキツな感じがある。

中野　もっと子どもの裁量権があってもいいよね。

山口　世界中から留学で来ている東大生の話を聞くと、みんな共通して、「親が決めさせてくれた」というんだよね。で、よくよく聞くと、うまくコントロールされている子も多いのだけど、そのコントロールが間接的。たとえば、ある中国人の学生は、小さいとき、街に有名な教授が来るというので親が見にいかせてくれて、その教授の話がとても面白かったからその教授がいる北京大学へ進学したんだって。子どもが自分で決めたという感覚を持たせるように、うまくコントロールしているんだよね。

中野　その親はマジシャンみたいだね。

山口　それは、やっぱり両親がいい具合に「なんとなく熱心」なんだよ。そうでないと、きちきちした直接的なコントロールになってしまう。「小さいときにケンブリッジ大学に連れていってもらったのがとても思い出に残っている」という子もいた。

中野　そういえば……、わたしも10代のはじめのころ、父親に東大へ連れていかれたことがあった。

山口　それは間接的にコントロールされているよ！

中野　そうだ、いま思い出した……。「この大学いいな」と思ったことがあった。「美しいな」と感じたんだよ、本郷キャンパスを。

山口　あそこは本当にきれいだよね。

中野　「ここで勉強できるのっていいな」って。こんなことをいま思い出した。ああ、父の日になにかしないといけない気持ちになってきた……（笑）。あれがもし筑波大学だったら筑波大学にいったかもしれないし、北海道大学だったら北海道大学にいったような気がする。

山口　なるほどね。

中野　ビジュアルの力ってかなり大きいから。

山口　もし動物園だったら、動物園だったかもしれない。

中野　生き物が好きだったから、「動物園の園長さんになる」という夢を持ったかもね。

山口　わたしの父もさりげないというか、わたしがはじめてテレビで雅子さまを拝見して、官僚になることを目指しはじめたら、「じゃあ東大の文一だな」って。

中野　おお。

山口　小学生が文一っていわれたら、「そうか、文一か」と素直に思うものじゃない？　そこで刷り込まれたのかも。ほかにも、父が東京の難関高校受験用の問題集を買ってきたの。わたしが通っていたのは地方の学校だったから「東京の中学生はこんなむずかしい問題をやっているんだ」と衝撃を受けたのを覚えている。「世界は広いんだな」ってなんとなく思ったかもしれない。

中野　たしかに、父は成績がいいととてもうれしそうにしていたな。それってふつうのことかもしれないけれど、うれしそうにしてくれると励みになるし、テレビで東大が映ると、「これはのんちゃんがいく大学だよ」って冗談っぽくいうの。すると、わたしもなんとなく「あそこにいけたらいいな」という気持ちになった。

山口　なるほどね。うちの親も同じく乗せ上手で、わたしの表情が豊かなことや言葉の認識が早かったことなど、いいと思うところを持ち上げて言い聞かせていたみたい。すると、子どもは単純だから「そっか」と思い込んでしまう。で、大人になって聞いたら、「いや、ふつうだった」って……（笑）。

中野　本当にいい意味での、親バカなんだね。

山口　子どもはその気になるから、思い込みの力ってやっぱりすごい。

才能は誘導されてつくられる

中野 思い込みの力はすごいよね。「ラベリング効果」として知られているけれど、この子はできるにちがいないと誰かが思ってくれていると、子どもは本当にできるほうへと勝手に寄せていくんだよね。アメリカの心理学者、ローゼンタールが報告した「ピグマリオン効果」は議論が分かれていて検証が必要なのだけど、少なくとも注目されることによって表れる効果があるとされている。また、工場で労働者（被験者）が、世界的に注目されているという意識を持つだけで生産性の向上が示された「ホーソン効果」も有名。「見られている」ことにはそんな効果があって、「この子はできるにちがいない」って思われていると「できるようにならなきゃ」と勝手にがんばる。

山口 まったくの逆効果！ということは、「宿題をやりなさい」といわれるのは……。

中野　そう。「この子はいわないとやらないにちがいない」と思っているから、そう指示するわけだからね。あるいは、できないにちがいないと思っているから、「もっと勉強しなさい」というわけ。すると子どもは、自分がやらない子だと思われているのが嫌になってしまう。

山口　そうか。わたしも「勉強やったの?」って聞かれたときは腹が立ってやらなかったけれど、中学生のときに「いい加減に勉強はやめなさい」っていわれたときは、「いつも勉強している子だと思っているんだ」と感じたな。

中野　だから、「できる子」という前提で子どもに接するのが基本姿勢として重要なのかもしれない。これは勉強ができる子の親の態度としては、かなり共通しているはず。子どもはそんな親の態度を本能的に察するからね。もちろん、嘘でほめていてはダメだけれど。

山口　「絵を描くのが上手だね」といわれたら、絶対信じなかったかも。どう見てもうまくないのは、自分でわかるから(苦笑)。

中野　「あなたは本当に本が好きねぇ」と、あきれるようにいわれるとかね。才能って、そうやって誘導されて形成される部分がかなり大きいんじゃないかな。

山口　そうなると、わたしは小学生のころからおおいなる「思い込み少女」なのかもしれない。テストで50点を取っても、「わたしはできるにちがいない」と思っていた。

中野　「たまたま体調が悪かっただけだから」みたいにね。

山口　あれはなんの確信なんだろう？　わたしの場合、そんな目線や態度が、親から友だちや先生へと自然に移っていった感じだった。クラスで誰もわからない問題があると、「じゃあ山口さんどうですか？」と最後にあてられる。「知らないわ、これ」と思っても、みんなが「あの子は知っている」という設定になってしまっていて……。

中野　いわばそれは、〝正解をいう役割〟という感じかな。で、うまく答えられると先生はちょっと悔しそうな顔をするから、それが楽しくてまた準備していくみたいな。

山口　そういうのはけっこう大きいと思う。親にうまく乗せられているうちに、友だちに「宿題見せて」といわれたり、先生が最後にあてたりしはじめるから、必死に背伸びをしている感じだったな。

中野　家庭からまわりのコミュニティーへと、シームレスにその役割が移行できたら理想的だね。

山口　子どもって「人の期待に応えたい」という感情が強いから、「期待されている」

と感じさせるほうがうまくいくかも。だから、勉強ができるようになるには、基本的には「その期待に応えよう」と思って、自分で動き続ける力が大事かな。

中野　いわば、自立だね。自分で立つ力を養うのが、いまの教育の役割なのかもしれない。すると、やっぱり「自分で自分のことを教育できる」ようになるのがもっとも効率がよくて、そうなるためにはまわりはもとより、自分でも「期待をする」ということ。自分のポテンシャルを信じることが、いちばん手っ取り早い方法かなと思う。

「経済的基盤の構築」と「学ぶよろこび」の2段構え

山口　そうして自分で決めて勉強した知識を、自分の人生に活かしていく。

中野　たとえば、資格勉強はわかりやすいよね。達成感があるし、ゲームのように楽しめるから。でも、勉強はそれだけではなくて、達成感のほかに「学ぶよろこび」というものがある。「学ぶよろこび」がわかりづらければ、「仕事はなんのためにするのか」と考えてもいい。もちろん、経済的な基盤をつくることは大前提だけど、やりがいを感じたり、自分の幅を広げたり、仕事を通じていろいろな人に会いたいという気持ちは誰しもあるはずだから。そんな、いまの自分以上のことをしたいという気持ちと、「学ぶよろこび」はそう遠くないと思う。

山口　「学ぶよろこび」を持つことで、いまの自分を超えた地点にたどり着ける。

中野　うん。そして、「学ぶよろこび」はとても贅沢なものだよ。わたしたち人間は、本来安定を捨ててでも新しい環境へ向おうと思うようにできている生き物。なぜなら、人類は、食物が豊かで森にいれば安全でもあったアフリカ大陸から、砂漠を渡ってはるばるちがう世界へと出てきたわけだから。厳しい環境にわざわざ出てくるようなことをする種であり、たとえ危険でもなにか新しいものを試したいし、どこかもっと遠くへ行きたいと思う構造になっている。そのときに武器になるのが、知識であり、知恵であり、知識を自分で得ていく力で、それはお金を稼ぐ以上に重要なことだと思う。

山口　たとえお金をたくさん稼ごうと決めても、いや稼ごうと思うからこそ、まず自分がどんな人間なのかをしっかり知っておくことが大事だよね。

中野　お金を稼ぐことはもちろん大切なことで、わたしだっておろそかにしたくはない。「貧すれば鈍する」という言葉があるけれど、窮乏していると判断を誤りやすくなるからね。たとえば、一見無駄なことをするまいと思っていてもしてしまうというように。ここでいう「一見無駄なこと」というのは、間接的な戦略や長期的な方針のこと。すると、どうなるか？　目先の利益を追いかけるようになるんだよね。3年後の10万円より、目先の1万円を取る行動をするようになって、ますます窮乏のスパイラルに陥っていく……。

山口　お金を求めることを恥ずかしいと思ってはいけないし、お金ってやっぱり大切。

中野　そのうえで、いま役に立たなくても、3年後、5年後、10年後に役に立つかもしれない知識を身につけることが、人間にとっては大事になる。だから、経済的な基盤を強固にするための勉強と、「学ぶよろこび」を求めていく勉強を2段構えで考えたほうがわたしはいいと思うな。

知識はおのずとつながり合っていく

中野　一見無駄に思えても、「学ぶよろこび」をもとに積み上げた知識は、いつかほかの知識と自然とつながっていくもの。たとえば、日本史と世界史を別々に学んでいても、織田信長のもとに宣教師のルイス・フロイスがやってきたり、弥助という黒人の武士がいたりしたことを知ると、「このときヨーロッパでなにがあったのだろう?」と知りたくなる。むしろ、大人になってから興味を持った人のほうが、おのずと知識がつながりやすくなるかもしれない。

山口　自分の主領域を持ちながら、副領域でも活躍するなどいくつかの足場を持っている人は多いはず。そうやって勉強しつつ、仕事をして、趣味の活動も積極的に行っていると、知識や経験が結びつくことがとても多いと思うな。かつてわたしは、財務省という閉じた組織が世界のすべてだったけれど、いろいろな人といくつもの場で関係性を持つようになってから、おのずと知識と知識が出合ってつながるようになった気がするから。

中野　「おのずとつながる」としかいいようがないんだよね。学校の勉強って、基礎体力を鍛える筋トレのようなものだから。筋トレは結果がすぐに表れるので面白い面もあるけれど、わたしたち人間はあくまでも体全体で動いている。あたりまえだけど、ひとつの筋肉だけで動いているのではなく、様々な筋肉が連動しているわけ。最初はそれぞれ別に鍛えていても、動かすのは体全体だよね。

山口　おのずとつながらないと、うまく動けなくなってしまう。

中野　たとえば、仕事のときにヘアメイクさんとよく話すのだけど、メイクアップひとつとっても、いろいろな要素があるよね。光のあたり方についての知識や、ＴＰＯをわきまえて空気を読む能力も必要だし、コミュニケーションも学ばなければならない。もちろん、肌の状態を考えるには、化学の知識も重要になる。「この化粧品は酸化チタンでつくられていて、このメーカーの粒子の粒径や合成の仕方はこうだから、光の反射の仕方はこうで……」ということを知っておくと、もっと効率的に使うことができるはず。ふつうは、ただ見え方やコスパを重視して選ぶと思うけれど、実に様々な知識が複合的に組み合わされて、化粧というものができあがっている。服だってファッションのことだけではなく、化学繊維の合成方法や織り方から、織物やファッションの歴史やヨーロッパ史まですべてに関わっている。ひとつの領域のなかでも、あらゆる知識がすでにつながっているんだよね。

仮説と検証を繰り返して「考える力」をつけよう

山口 もし、おのずと知識がつながるという現象を意図的に起こしたいとしたら、わたしは仮説を立てることをおすすめしたいな。実は、わたしは独り言をいいながら仮説を立てるのが好きで……。

中野 それ面白いね。

山口 「これはあれとつながっているにちがいない……」「このモデルで多くのものご

とを分析できるにちがいない……」と、ぶつぶつ独り言をいいながら、自分の仮説を様々な知識にあてはめていく。そうしていると、知識はより結びつきやすくなる。

中野 仮説を立てるのは、わたしもよくやるな。

山口 その仮説を、「こんなことを思うんだけど、どうかな?」と人に聞いてみると、すごく楽しかったりする。

中野 実は、仮説を立てることって、みんなふつうにやっていることだったりする。よく「あるある」の話をすることがあるけれど、その「こういう人ってこんなタイプだよね?」というのは、まさに仮説を立てて検証して楽しんでいるのだから。

山口 わたしみたいに、声が高い女はこうだとか(笑)。

中野 日本人はこうだ、とかね。仮説検証をやるよろこびってあるから。

山口 検証するときに、うまく自分が立てた仮説にあてはまらない場合が出てきたら、「わたしの前提がちょっとちがうはずだ」と仮説を精緻にしていけたら、もっと面白いんじゃないかな。

中野 検証する際に、新しいサンプルが出てきたらどう処理できるか。

山口 みんななんとなく仮説は立てるのだけれど、もしかしたら検証が少ないのかもしれない。いわば、仮説がただの思い込みになっていることがある。すると、考える力も養われないことになる。

中野　仮説と検証を何度も繰り返してできるかどうかは、やっぱり〝思考の体力〟にかかっているのかもしれないね。いま話をしていて、もしかしたら東大生をはじめ勉強ができる子たちというのは、思考の体力があるのかもしれないと感じた。よく、「東大のくせにこんなこともできないのか」と責められることも多いのだけど、すぐに効果が表れることではなく、思考の体力を評価すればけっこう差がある。東大生って、考えることが嫌いじゃなくて、とことん考えることが好きだから。

山口　そうだね。わたしなんて、どうでもいいようなちょっとしたことでも、延々と考えてしまうから。

「流動化する社会を生きる」

自ら問いを立て能動的に学んでいくことは、
「どのように生きるべきか」を突き詰める姿勢に等しい。
学びについての対話を通して浮かび上がる
流動化する社会の姿と、これからの時代を生き抜く姿勢――

中野信子
×
山口真由
対話
【STUDY_03】

ユニットから関係性の時代へ

山口　わたしはいま、アメリカの家族法や家族制度を研究しているのだけど、「すべての家族や組織は、ユニットから関係性へ変わっていく」という仮説を持っているの。たとえば、むかしは家族という形態がはっきりしていたのに、いまは親が離婚しても親としての関係や役割が途切れなく続いたり、親の新しい恋人との関係が生まれたりするよね。そんな重層的な関係がどんどんできていて、家族というものが閉じられた領域ではなく、とても開かれた場になってきている。そのため、むかしのように法律で一律にコントロールすることが、できにくくなっている現状があると思う。

中野　ずっとむかしから、家族の中心は親だったよね。

山口　そう。子どもの人生も、ある程度親が決めることになっていた。でも、いまは、その子どもに関係する複数人の〝ケアの束〟みたいなものになってきているというのがわたしの考え。そして、それは組織も同じなんじゃないかなって。

中野　家族以外の組織でも同じだと。

山口　たとえば、わたしがいた財務省はとてもかっちりした組織で、明らかに家族的な組織だった。先に書いた、ケアとコントロールが分かち難く存在していて、いってみれば、「愛」によって支配するみたいなところがあった。

中野　へえ、それは面白い。

山口　これはまさに家父長制のやり方。わたしが財務省を辞めて感じたのは、むかしの家族は閉じた領域で、それこそ外部は介入しないし、介入できないというのが家族のあり方だったということ。でも、いまはもうそうではなくなっている。要するに、人と人の関係がいくつも集まっているような場所になった。そして、おそらく組織もそのように変化していくんじゃないかなって。だから、これからはある組織に帰属していることよりも、むしろ複数の関係を結んでいることが大事になってきて、関係性の量ではなく「質」が大切になり、複数のケアの関係が重要になってくる。「この人たちのことをわたしは気にしている」というふうに、関係の束が集まったような社会になっていく。

中野 そして、個人の選択の時代にもなってきているということだね。

山口 その通りで、日本ではみんな似たような考え方をして、同じような価値観のもとに家族像を設定しやすい社会だったけれど、それがむずかしくなってきている。だから、これからはそれぞれが異なる個人であることを前提に、お互いのことを想像し合うことが必要。自分とはちがう個人から世界はどのように見えているのか？　この人はなぜこんなことを主張しているのか？　その背景にはなにがあるのか？　そんなことを、バイアスを持たずに見たり知ったりできる関係性を、複数持つことが大切になると思っているの。

世界は圧倒的によくなっている

中野 わたしはちがう観点から。これからの社会を考えると、つい悲観的なことをいいたくもなるけれど……世界は圧倒的によくなっている。たとえば、いまは女性が本気で学問に取り組んでもいい時代だよね。「なにをあたりまえなことを」と思うかもしれないけれど、わたしが大学院生のときですら、女性に差別的な発言をする男性教員がふつうにいた。優れた業績を出している女性の先生に言及して、「で、彼女は子どもを産んだの?」ってね。

山口　それはひどい……。

中野　それから、家事をやるときにかなりの程度、電化製品が代替してくれるようになったことも大きな変化だと思う。たった20年とか30年のちがいですら、わたしはいまの時代に生きていてよかったと感じることがあるよ。だって、すごく便利な時代だもん（笑）。また、本も分厚くなって質もよくなっているし、知識のデータベースはむかしより格段によくなっている。とくに生物学の進歩は目を見張るものがあって、分子生物学の有名な教科書である「THE CELL」が分厚くなっていく歴史を見ても明らか。しかも、いまは「THE CELL」なんか読まなくても、ふつうの人がオープンソースで様々な分野の知識をPDFファイルで読むことができる。5歳の子どもでも、インターネットにアクセスさえできれば読めちゃうんだよね。欲張ったことをいえば、それこそいまの時代の子どもに生まれたかったくらい。

山口　わたしは英語で苦労したのだけど、いまは小さい子どもでも、ＹｏｕＴｕｂｅで探せば、いくらでもＬとＲの発音のちがいを聴けるよね？　わたしたちの時代は学校にネイティブもほとんどいなくて、英語を話せない教師が微妙な発音をしていた……。

中野　いまの子どもたちが超うらやましいよ。だって、ネットにアクセスする通信代だけで、多言語が学べるのだから。

山口　非英語圏の外国人のほうが日本人よりも英語が上手な理由は、彼らがいうように、「日本人はすべて器用に日本語に吹き替えるけど、わたしの国にはそんなリソースがないから、すべて英語のまま流している」って。

中野　それ、わたしも同じことをいわれたことがある。

山口　だからもう、英語を勉強したければ子どものころから「ＹｏｕＴｕｂｅ」で英語を流し続ければいいとすら思う。

中野　日本は、大学院教育も英語で行わなくていいのがほとんど。なぜなら、大学院レベルの高い教育を日本語でできるからね。でも、ほかのアジアの国は、英語でなければできないことがけっこう多い。

山口　だから日本では、高い教育を受けた人でも英語ができなかったりする。

中野　ただ、日本独自の文化の厚みが保持されていることは、よいことだと思う。よく「グローバル人材が必要」といわれるけれど、それは企業体の論理として「英語ができたほうが商売に便利」というだけで、文化という観点から見れば意外とそうでもなかったりする。いずれにせよ、知識や文化にアクセスする方法は格段にいまの時代のほうがいいし、これからもっとよくなっていくはず。

法律ももっと柔軟に考えることができる

中野　経済については、今後日本は少子高齢化が加速することもあって、右肩下がりになっていくのかもしれない。でも、たとえ右肩下がりであっても、けっこううまくやっている国もあるよね？　わたしがヨーロッパにいた2008〜2010年ごろはオランダがまさにそんな国で、小国だけどなんとかうまくやっていて、とくに経済成長だけを目指すわけでもなく、国民の満足度にフォーカスして運営されていた。

山口　いくら経済成長を求めたって、お隣の中国に圧倒的に負けるだけだしね。

中野　張り合っても、中国は日本の10倍規模の人口があって、じゃあ、日本人女性はひとり30人産めということ？　もしくは人工子宮をつくって増殖させるの？　そんなレベル差なんだよね。だから、人口ボーナスで乗り切ろうという発想しかできない人についていくのではなく、日本は戦略を大きく変えるべきじゃないかな。わたしは、それができる知的体力を日本人は持っていると思う。

山口　法律だって、アメリカではいわば「法律未満」にどんどん落ちている。アメリカでは、純粋に法律だけで決めることが少なくなっていて、じゃあなにで決めるのかというと、専門家が集まってつくったガイドラインなどをもとにしている。つまり、成文化された法律はどんどん原理原則のような純粋なかたちになって、それ以外はみんなで話し合って、考えて、守っていこうというふうになっているんだよね。それこそ生殖補助医療に関するガイドラインなんて専門家がどんどんつくっていて、容易に改定されちゃう。

中野　なるほど、運用が柔軟ということだね。

山口　実践しているあいだにも状況は刻々と変わっていくし、その意味で純粋なかたちの法律が少なくなっている。

中野　固定化した発想が、だんだん有名無実化していくのかもしれないね。

山口　だからこそ、考える必要がある。そこにあるものが本当にコアな本質といえるのか、法律にすべきものなのか、もう本当に真剣に考えていかないと。

AI時代は「やりたい仕事」をするのがいちばんいい

中野　これからは、考えるための提案型の思考の支援ツールもできるはず。よく「AI時代はクリエイティブな仕事が生き残る」なんていわれるけど、実はそうではないような気がする。きっと、クリエイティブに自信がある人がそんなことをいいはじめたんだろうね。でも、合理的に考えたら、「機械をつくってもペイする仕事」からなくなるということ。歴史を見ても、機械に取って代わられてきたのは、面倒で人がやりたがらない仕事だった。逆に、誰でもできる仕事って、実はさほど取って代わられていないものだから。要するに、クリエイティブかどうかなんて関係なくて、まず人件費を削らなければならない現場から取って代わられるということだよね。すると、機械をつくってもペイしないアニメーターの仕事は残るけれど、簡単な診断しかしていないような場合は医師でも機械に取って代わられるかもしれない。それこそ、感染症のリスクだって下げられるからね。

山口　事実認定をする裁判官の仕事はなくならないとしても、書記官の仕事は機械に取って代わられるかもしれないな。法律って基本的にいまだに紙の世界だけど、書類をきっちり分類して、綴(つづ)るようなことはおそらく機械でできるから。でも、事実はどうだったのか、本当はなにがあったのかということを認定し、法的規範をはめるのはなかなかむずかしいと思う。

中野　そうなると、結論はやっぱり「自分がやりたい仕事」をするのがいちばんいいということになる。みんながやりたがらない仕事から代替されていくのだから、やりたがらないことを無理にやっていてもさほど意味がないかもしれないよね。それよりも、自分のやりたいことを突き詰めていくほうがいい。

山口　ああ、わたしの父からの偉大な学びのひとつがいま消えたよ（苦笑）。父がよくいっていたのは、「誰もできないことか、誰もやりたがらないことをやれ。それしかお金を稼ぐ道はない」と。

中野　なるほど。たしかにその考えは、いまこの時点ではまだ正しいけれど、これから変わってしまう可能性はあるよね。誰もやりたがらない仕事というのは、全面的に機械がやらされることになるだろうから。

価値観が固定化した組織から消えていく

山口　先に財務省の話をしたけれど、伝統的な組織もどんどん変わっていく気がする。

中野　いま、官僚全体に占める東大出身者の割合がかなり減っているんだよね。もう17％程度（２０１９年度人事院調査）になっている。

山口　東大法学部にはちょっと「右へならえ」みたいなところがあって、わたしのときはちょうど官僚から弁護士の移行期だった。そして、いまはコンサルティングなんだって。たしかに若い子を見ていて感じるのは、上からの押しつけがましさに対する反発がとても強いということ。霞が関は、どちらかというとコントロールが強い場所だから。

中野　そうだよね。

山口　だから、これからは上からの押しつけがましさのようなものが、組織をはじめいろいろな場所から消えていくはず。それは同時に、わたしたちが使う言葉の一つひとつからも消えていくと思う。たとえば、いまの若い子は運動部の部活なんかで、監督が「おまえ男だろ！　男なら根性を出せ！」とかいって走らせるのを見るのも嫌なんだって。「男だから走らないといけないのはおかしい」って。そんな人たちが増えていて、価値観がどんどん固定的でなくなっている。少し前に、「女子力」とか、婦女子をもじった「腐女子」という言葉もあったけれど、そんな無神経な言葉に対する若者の価値観はすごく変わっている。

中野　女性はこう、男性はこうという押しつけがましさを嫌っているんだね。

山口　そう。そんなこともあって、価値観が固定的な組織は人気がなくなっているんじゃないかな。コンサルティングがなぜ人気なのかはわからないけど……。

中野　それは、経歴が次の飯の種になるから？

山口　ああ、たしかにそうかもしれない。とりあえずの登竜門みたいな感覚なのかもしれないし、プロジェクトごとに人が集まったりして組織も流動的だから。

中野　いろいろ経験したいという考えもあるのだろうね。

山口　チームをつくって、いろいろな業種の人たちと流動的に仕事をしていくスタイルが、やっぱり流行っているのかなという気がする。

中野 ひとつの業種のようでありながら、様々な経験ができるのは魅力的なんだろうね。もちろん、官僚より給料もいいわけだけど。

「女性目線」は女性の人格を認めていない言葉

中野 その意味では、世代によって感じるものもちがっているね。たとえば、同じ女性でも、わたしの世代より10歳上の女性が感じてきた軋(きし)みと、わたしの世代が感じている軋みは強度がまるでちがうと思う。わたしの10歳上はバブル世代で、いろいろな面で恵まれた世代だけど、その反面、男社会に生きることを強いられた時代でもあった。女性は、「女性性」を前面に押し出して、男性におごられたり、点数に下駄を履かせてもらったりしたほうが得をするといわれた時代で、「女は女らしくあれ」という風潮が強かったから。

山口　本当に能力があって男性と勝負したい女性にとっては……。

中野　まさに、逆風が吹き荒れる真っ只中だったんじゃないかな。「あいつは女を捨てた！」なんていわれて……。わたしの世代でもそういうのは多少あったけれど、なにしろ就職氷河期世代だから、「女性性」を出すと逆に責められる風潮が生まれていた。

山口　２０１９年にも、上野千鶴子先生の東京大学学部入学式の祝辞が、女子学生の置かれている現実を指摘したと話題になったね。東大の女子学生比率が２割を超えない理由や、東大はもとより、社会には性差別が横行していることなどを指摘されていた。

中野　それって実は、先生がずっといっていることだよね。

山口　上野先生は30年来おっしゃっていることが変わらないから、むしろニュースとして取りあげる社会に変わったんだろうなと思った。だからもう、放っておけばどんどん変わっていく気がする。

中野　積極的に変えたいと思う人は、変えるためにがんばったらいいし、そんな人たちになにもいうつもりはないんだ。だって、闘うことって本質的には楽しいからね。もちろん様々な葛藤や苦しさもあったと思うけれど……。でも、わたしはあまり闘う気はなくて、おかしいことには文句をいいながらも、折り合いをつけたいタイプかな。

山口　講演などにいっても、女性の観点から意見を求められることが多いんだよね。「女性としてどう思いますか?」って。

中野　男性だったら、「男性の目線から」とは、女性ほどは聞かれないのにね。女性は「女性という一人称であれ」と思わされることがとても多いから。「主婦目線で」といわれても、専業主婦ではないしなあ……。

山口　講演のテーマも、「今回は女性目線を取り入れました」といって、聞くとだいたい子育てなどの柔らかいイメージが多い。わたしに子育てといわれても、子どもはいないし……あたりまえだけど、女性だからといってみんな同じじゃないし。ただ、これからは若い子たちが世に出はじめていく過程において、女性の多様性がふつうに許されるようになっていく希望は持っているんだ。

中野　本当にそうなってほしい。

男性も「男性性」から解放されてほしい

山口　裁判所はね、マイノリティーの保護が手厚いの。「選挙で多数決して勝てない人たちでも、侵してはいけない一線がありますよね」っていう、最後の砦の守護神が裁判所だから。だけど、女性というのはマイノリティーじゃないんだよね。半数いるんだから。すると、民主主義のプロセスで十分解決できるとも考えられる。そんな風潮になったら、もっと健全に変わっていけるはず。

中野　女性に関する社会運動が起こらないのが本来の姿だし、上野先生の発言が話題になるなんて、30年経ってようやく日本社会はここまでになったということだよね。次の30年には、「女性がマイノリティー扱いされる時代もあったんだね」と語られることが理想かな。

山口　あくまでわたしの場合はだけど、わたしには女性という属性があるから、「女性の目線から」といわれたときに、すごく悪意がある発言だとは感じない。でも、女性という属性が強調されない社会こそが、自然な姿だと思う。

中野　わたしたちは今日、ハイヒールを履いて撮影をしているけれど、いずれ「この時代はこんな靴を履いていたのか」といわれる時代が来るかもしれない。

山口　きっと来るだろうね。

中野　約150年前、画家のグスタフ・クリムトのミューズでもあったエミーリエ・フレーゲという女性がいた。この人がなにをしたかというと、女性がコルセットをしないで着られる服を考えたの。それまでは女性はコルセットをして人前に出ることが礼儀だったのだけど、コルセットは締めつけが強く、内臓も損傷しかねないし、骨が変形して死ぬ人もいたほどだった。そして、フレーゲに続いて出てきたのが、ココ・シャネル。彼女がコルセットなしの女性の「働く服」を考案し、新しいスタイルをつくった。

山口　その意味では、ハイヒールという靴は相当遅れているのかも?

中野　エミーリエ・フレーゲの時代から150年も経っているからね。いまから150年後には「骨が変形するのに21世紀初頭の女性はこれを履いていたんだ」「かわいそうにね」といわれる時代が来てほしい気もする。

山口　わたし自身、ハイヒールは嫌いじゃないけれど、逆に男性も、「男性性」から解放される時代が来る気がする。男性って、自分のなかのフェミニンな要素や傾向を恥ずかしがるじゃない？　男の人もけっこう無理しているなと思うときもあるので。

中野　実は、あの上野先生の発言に対しては、東大の男子学生の反発が大きかったという話もあるようで興味深かった。それはおそらく、男性が「男性性」を担わされていることと無縁ではないと思う。東大男子なんていわばマッチョイズムの頂点にいるような人たちだから、「自分たちがトップでなければいけない」と実際に思っているし、世間から期待を背負わされてもいる。そして、そんな男性のそばにいる女性は、「男よりも抜きん出てはいけない」と、無言の圧や空気を感じることもあるはず。それは、彼らが悪いというよりも、彼らに一定の役割を担わせてきた社会の責任なのかもしれない。勉強ができるというだけで、彼らにそんなに期待しないであげてほしいというのがわたしの本音（笑）。

山口　ハーバード大でわたしが習った教授は、当時ではめずらしくハーバード大に入った女性だったらしいのだけど、同じクラスで学ぶ夫よりも成績がよかったそう。でも、女性がそんなことを男性に主張することは許されなくて、そんなわだかまりをずっと解消できなかったんだって。そして、やっと堂々と指摘できたとき、晴れて離婚したの。

中野 ハーバード大ですらそうなの？

山口 いまの年齢が70代の教授だから、かなりむかしの話だけどね。

中野 どの社会も同じだね。ただ、いまの日本にはそんなことがたくさんあるし、女性だけでなく、男性も性から解放される新しい時代が早く来てほしいな。

おわりに

わたしは、これまで勉強法についての本をたくさん書いてきました。その理由は、本編でも書いたように、勉強こそがわたしの人生を支え、成長させ、わたしをここまで運んできてくれた大切なものだからです。

読者のみなさんにも、それぞれ人生において大切なものがあると思います。家族、友人、仕事、趣味……。自分が生きている意味と密接に関係していて、それとともに時間を過ごすことで、自分らしい人生を生きていると実感できるもの。一歩ずつ、自分が前へと進んでいると感じさせてくれるもの。そんな存在のひとつが、わたしにとっての勉強です。

そう、わたしにとって勉強は特別なものなのです。

そのうえで、わたしが日々感じていたのは、勉強が好きでなかったり、やる気があっても思うような成果が出ないと悩んだりしている人が多いことでした。これからの時代には、様々な意味で「学ぶ」ことが必要とされるにもかかわらず、その前段階の「学び方」で悩んでいる人がたくさんいるようなのです。そんなことに対して、少しでもなにかのヒントになればと思い、これまで勉強について数々の情報を発信してきました。

本編では、まず【思索編】において自分の「勉強人生」を振り返り、勉強についてわたしが考察してきたことを記しました。これまでどのように勉強してきたのか。そして、どうすれば勉強ができるようになるのか。なるべく卒直に書くことで、個人の半生を綴るかたちながら、みなさんの勉強の参考になる情報を盛り込んだつもりです。

次に、【実践編】として、わたしが編み出し、かつ多くの人にとって普遍性がある勉強法だと確信している「7回読み勉強法」のエッセンスをまとめています。

わたしは、すべての勉強の基本は「国語力（読む力）」だと考えています。そこで、この「読む」というスキルに特化した「7回読み勉強法」は、多くの人の成果に直接つながるとともに、勉強だけにとどまらず仕事などにも応用できる汎用性のある方法だと考えています。

もちろん、「読む」ことが苦手な人もいるでしょう。しかし、この勉強法は、単なる「流し読み」を何回も繰り返すことからはじまります。そして、読むたびに内容理解の濃度を上げていくとても負荷の少ない方法なので、どんな人にも気軽に試していただけると考えています。


そして、なによりも本書の最大の特徴は、友人である中野信子さんとの共著であることです。わたしの我流の勉強への向き合い方は、当然ながら中野さんの学びのスタイルと異なる面が多いのですが、お互いに話していくうちに、いくつかの重要な共通点を見出すことができ

たのはわたしにとって収穫でした。

中野さんの科学的観点からの意見や指摘によって、わたしがひたすら実践を繰り返してきた方法のなかにも一定の根拠があったことは、大きなよろこびになりました。もちろん、読者のみなさんにも、わたしたちの見解を検証していただければ幸いです。

さらに、本書の守備範囲は勉強法だけにとどまりません。とくに中野さんのパートでは、単なる知識の蓄積を超えて、人間として学ぶことの意味を掘り下げた、知的刺激に満ちた内容が示されています。わたしも、いまも学び続けている家族法の観点から、これからの社会に向けて思うところを書かせていただきました。

いずれにせよ、これからみなさんがなにかを新しく勉強することは、必ずみなさんの人生を豊かにし、「新しい自分」を発見することにつながっています。たしかに、勉強には大変なこともありますが、得られるものはそれを上回って余りあるものです。

本書を読んだみなさんが、自分だけの充実した学びに一歩を踏み出されることを、心より願っています。

２０２０年５月

山口真由

中野信子

（なかの・のぶこ）

脳科学者・医学博士・認知科学者。1975年、東京都に生まれる。東京大学工学部卒業後、同大学院医学系研究科修了、脳神経医学博士号取得。フランス国立研究所ニューロスピンに博士研究員として勤務後、帰国。現在は、東日本国際大学教授、京都芸術大学客員教授として教鞭を執るほか、脳科学や心理学の知見を活かし、マスメディアにおいても社会現象や事件に対する解説やコメント活動を行っている。レギュラー番組として、『大下容子ワイド！スクランブル』（テレビ朝日系／毎週金曜コメンテーター）、『英雄たちの選択』（NHK BSプレミアム）、『ホンマでっか!? TV 』（フジテレビ系）。著書には、『サイコパス』、『不倫』（ともに文藝春秋）、『人は、なぜ他人を許せないのか？』（アスコム）、『空気を読む脳』（講談社）などがある。

山口真由

（やまぐち・まゆ）

研究者・法学博士・ニューヨーク州弁護士。1983年、北海道に生まれる。東京大学を「法学部における成績優秀者」として総長賞を受け卒業。卒業後は財務省に入省し主税局に配属。2008年に財務省を退官し、その後、2015年まで弁護士として主に企業法務を担当する。同年、ハーバード・ロースクール（LL.M.）に留学し、2016年に修了。2017年6月、ニューヨーク州弁護士登録。帰国後は東京大学大学院法学政治学研究科博士課程に進み、日米の「家族法」を研究。2020年、博士課程修了。同年、信州大学特任准教授に就任。出演中の主な番組として『羽鳥慎一モーニングショー』（テレビ朝日系）、『ゴゴスマ』（CBCテレビ／TBSテレビ系）など。主な著書に『いいエリート、わるいエリート』（新潮社）、『思い通りに伝わるアウトプット術』（PHP研究所）などがある。

◎衣装（中野）
ネックレス　¥20,000／アビステ
イヤリング　¥11,000／アビステ

◎衣装（山口）
ジャケット　¥54,000／AKIKO OGAWA
パンツ　¥39,000／AKIKO OGAWA

アビステ　03-3401-7124
AKIKO OGAWA　03-6450-5417
※価格はすべて税抜きです。

「超」勉強力

2020年5月26日　第1刷発行
2021年8月12日　第5刷発行

著者　中野信子　山口真由
発行者　長坂嘉昭
発行所　株式会社プレジデント社
〒102-8641
東京都千代田区平河町 2-16-1 平河町森タワー13階
https://www.president.co.jp
電話　03-3237-3731（編集・販売）

装丁・本文デザイン　木村友彦
写真　榎本壯三　塚原孝顕　川しまゆうこ
ヘアメイク　Kanagon
スタイリング　関谷佳子　山下 由（コンテンポラリーコーポレーション）
編集協力　辻本圭介
企画・構成　岩川 悟（合同会社スリップストリーム）

販売　桂木栄一　高橋 徹　川井田美景　森田 巌　末吉秀樹
編集　柳澤勇人
制作　関 結香

印刷・製本　中央精版印刷株式会社

ISBN 978-4-8334-4024-0
Printed in Japan